大语文分级阅读

愿望的实现
理想与童诗

[印]泰戈尔 著
学而思教研中心 编
郑振铎 译

山东电子音像出版社
·济南·

第一学段·1—2年级

前　言

——写给爸爸妈妈和老师

　　"阅读力就是成长力"，这个理念成为越来越多父母和老师的共识。的确，阅读是一个潜在的"读—思考—领悟"的过程，孩子通过这个过程，打开心灵之窗，开启智慧之门，远比任何说教都有助于其成长。

　　儿童教育家根据孩子的身心特点，将阅读目标分为三个学段：第一学段（1—2年级），课外阅读总量不少于5万字；第二学段（3—4年级），课外阅读总量不少于40万字；第三学段（5—6年级），课外阅读总量不少于100万字。

　　从当前的图书市场来看，小学生图书品类虽多，但大多未做分级。从图书的内容来看，有些书籍加了拼音以降低识字难度，可文字量又太大，增加了阅读难度，并未考虑孩子的阅读力处于哪一个阶段。

　　阅读力的发展是有规律的。一般情况下，阅读力会随着年龄的增长而增强，但阅读力的发展受到两个重要因素的影响：阅读方法和阅读兴趣。如果阅读方法不当，就不能引起孩子的阅读兴趣，而影响阅读兴趣的关键因素是智力和心理发育程度，因此孩子的阅读书籍应该根据其智力和心理的不同发展阶段进行分类。

　　教育学家研究发现，1—2年级的孩子喜欢与大人一起朗读或阅读内容浅显的童话、寓言、故事。通过阅读，孩子能获得初步

的情感体验，感受语言的优美。这一阶段要培养的阅读方法是朗读，要培养的阅读力是喜欢阅读，可以借助图画形象理解文本，初步形成良好的阅读习惯。

3—4 年级孩子的阅读力迅速增强，阅读量和阅读面开始增加和扩大。这一阶段是阅读力形成的关键期，要培养的阅读方法是默读、略读，要培养的阅读能力是阅读时要重点品味语言、感悟人物形象、表达阅读感受。

5—6 年级孩子的自主阅读能力更强，喜欢的图书更多元，对语言的品位有要求，开始建立自己的阅读趣味和评价标准。这一阶段要培养的阅读方法是浏览、扫读，要培养的阅读力是概括能力、品评鉴赏能力。

本套丛书编者秉持"助力阅读，助力成长"的理念，精挑细选、反复打磨，为每一学段的孩子制作出适合其阅读力和身心发展特点的好书。

我们由衷地希望通过这套书，能增强孩子阅读的幸福感，提升其阅读力和成长力。

学而思教研中心

目 录

愿望的实现

老苏巴的儿子小苏希是个非常顽皮的孩子，常常闹得周围的邻居不得安宁。老苏巴总是追着他跑，想抓住他狠狠地揍一顿。无奈老苏巴的腿患有风湿病没办法跑太快，而小苏希却像头小鹿，蹦蹦跳跳的，跑得飞快，所以，老苏巴的拳头老是打不到小苏希的身上。

一个星期六的早上，小苏希躺在床上，迟迟不起，借口肚子痛又想逃学。不仅是因为学校那天有地理考试，还因为邻居家那天傍晚要放烟火，一大早就开始热闹了，小苏希想到邻居家混一天。

老苏巴一下子就猜到了儿子小苏希心里的想法，决定趁机好好教训教训他，于是对他说："那你今天哪儿也别去了，就在床上好好躺着吧。"老苏巴还故意表示遗憾地补上一句，"哎呀，我给你买了柠檬棒棒糖，可惜你肚子痛吃不了了，我只能调制点儿助消化的苦药给你喝了。"小苏希听了开始紧张起来，他最喜欢柠檬棒棒糖了，同时也非常害怕吃苦药，而且就连烟火也看不成了。这下该怎么办呢？于是小苏希跳下床大声说："我肚子现在不疼了，我

要去上学。"老苏巴说:"不行,你还是静静地躺着吧!"说着,硬逼着小苏希把苦药喝了下去,然后走出去把房门上了锁。

小苏希在房里哭了一整天,心想:要是我能一下长大,长到父亲一样的年纪该多好,那我就可以为所欲为了。这时老苏巴独自坐在家门口也在遐想:我小的时候,因为父母

的溺爱，没有好好用功读书，假如能重新回到童年时代，那我一定珍惜时间，争分夺秒地去读书。

就在这时，愿望仙子从他们家门前经过，刚好听到父子俩的心愿，便决定帮他们实现心愿。

这天晚上，一向失眠的老苏巴，头一碰枕头就睡着了，而且睡得特别香。第二天醒来，

他非常惊喜地发现自己真的返老还童了，他的身体变小了，衣服都变得松松垮垮的，掉了的牙又重新长了出来，满脸的胡须也不见了；相反，一向很早就起床到处闹腾不休的小苏希，今天早晨却仍躺在床上呼呼大睡。在喧闹声中，他才慢慢醒过来，却发现自己竟变成了大块头，原本穿的衣服都要被撑破了，头上浓密的黑发不知跑到哪里去了，脑袋瓜秃得像灯泡

5

yí yàng liàng，xià ba shàng yě zhǎng mǎn le bān bái de hú zi。fù zǐ liǎ
一样亮，下巴上也长满了斑白的胡子。父子俩

de yuàn wàng dōu shí xiàn le，dàn tóng shí dōu yí xià zi wú fǎ shì yìng
的愿望都实现了，但同时都一下子无法适应。

xiǎo sū xī yuán běn de yuàn wàng shì biàn chéng dà rén hòu jìn qíng wán
小苏希原本的愿望是变成大人后尽情玩

shuǎ，zì yóu zì zài，wú jū wú shù，xiǎng chī shén me jiù chī shén
耍，自由自在，无拘无束，想吃什么就吃什

me，xiǎng qù nǎr wán jiù qù nǎr wán，méi yǒu rén lái guǎn tā。
么，想去哪儿玩就去哪儿玩，没有人来管他。

kě shì zhè tiān zǎo chen qǐ chuáng hòu，tā què méi yǒu le wán de xìng zhì。
可是这天早晨起床后，他却没有了玩的兴致。

tā bù gǎn xiàng yǐ wǎng nà yàng，tiào jìn mén kǒu de shuǐ táng lǐ qù yóu
他不敢像以往那样，跳进门口的水塘里去游

yǒng，yīn wèi dān xīn zháo liáng shēng bìng；tā yòu xiǎng shì zhe xiàng cóng qián nà
泳，因为担心着凉生病；他又想试着像从前那

6

样爬树，可是他刚刚抓住一根树枝，树枝就因承受不住他的重量折断了，"扑通"一声，他摔倒在地。行人看见这个老头儿像孩子似的顽皮，都大笑不止。

小苏希平时非常喜欢吃柠檬棒棒糖，以前看见店铺里摆着各种颜色的柠檬棒棒糖，总是直流口水，想着要是能像爸爸那样有钱，就可

以买好多好多的柠檬棒棒糖，装满所有的口袋，吃个够。现在，他打发仆人买来一大堆棒棒糖，可是刚吃第一根时，他就发现自己一点儿都不喜欢这个味道了。他想去找以前的小伙伴做游戏，可孩子们的吵闹声又使他心烦意乱，他只想安安静静地独自坐一会儿。

有时，他忘记自己已经变成老头儿了，还像从前那样，喜欢恶作剧。一次，他看见邻居一位老太太头顶着水罐走过，就扔过去一块石头，水罐碎了，老太太变成了落汤鸡。人们狠狠地呵斥他，还追过来要揍这个老顽童。

父亲苏巴的日子也不好过。自从返老还童后，他把自己要好好学习的心愿早抛到了九霄云外。如今，他像小苏希一样，也不想上学读书。"爸爸，你不去上学吗？"儿子苏希

生气地斥责道。苏巴挠着头，哭丧着脸小声说："今天我肚子痛，不能去了！""怎么不能去？"儿子苏希恼怒地说，"不要撒谎了，这些把戏我太了解了！"于是他强行把自己的小父亲送去上学了。

一放学，小父亲苏巴就急着回家，尽情玩耍起来。这时，老儿子苏希正戴着老花镜专心致志地念诵古史诗《罗摩衍那》。小父亲苏巴的喧哗声妨碍了他，他手拿戒尺，强迫小父亲坐下做算术练习。黄昏时分，苏希又请来一位家庭教师给小父亲补习功课。

苏希记得父亲苏巴的肠胃不好，过去一吃多了就打嗝。所以，他严格控制父亲的饮食，不让他多吃。哪里想到，父亲变成孩子后，胃口好得简直连线团都消化得了。可怜的苏巴没有吃到足够的东西，饿得皮包骨了，苏希还以为小父亲患了什么病，就逼着他吞服各种药。

父亲苏巴有时也忘了自己已变成了孩子，还和从　前一样，用老人的

kǒu qì shuō huà　　shàng xué shí　　cháng cháng bú zì jué de yào yān chōu　　hái
口气说话；上学时，常常不自觉地要烟抽；还

jiào lǐ fà jiàng gěi tā tì hú zi　　yǒu shí hái qíng bú zì jīn de qù dǎ
叫理发匠给他剃胡子；有时还情不自禁地去打

nián lǎo de ér zi sū xī　　xiǎng jiào xùn tā yí dùn
年老的儿子苏希，想教训他一顿……

jiù zhè yàng　　sū bā　　sū xī fù zǐ liǎ dōu shī qù le yǐ wǎng
　　就这样，苏巴、苏希父子俩都失去了以往

de huān lè hé xìng fú　　tā men měi tiān dōu mò mò de qí dǎo zhe　　xī
的欢乐和幸福。他们每天都默默地祈祷着，希

wàng biàn huí yuán lái de zì jǐ　　yuàn wàng xiān zǐ tīng dào fù zǐ liǎ de xīn
望变回原来的自己。愿望仙子听到父子俩的心

shēng hòu，zài cì mǎn zú le tā men de yuàn wàng，huī fù le tā men yuán
声后，再次满足了他们的愿望，恢复了他们原

lái de yàng zi
来的样子。

dì èr tiān zǎo chen，fù zǐ liǎ xiàng cóng yì cháng è mèng zhōng xǐng
第二天早晨，父子俩像从一场噩梦中醒

lái yí yàng，nǐ kàn kan wǒ，wǒ kàn kan nǐ，yí qiè yòu huí dào le
来一样，你看看我，我看看你，一切又回到了

cóng qián。guò le yí huìr，lǎo sū bā jīn bu zhù dī shēng wèn ér zi
从前。过了一会儿，老苏巴禁不住低声问儿子：

nǐ zěn me hái bú qù bèi nǐ de yǔ fǎ xiǎo sū xī náo zhe tóu huí
"你怎么还不去背你的语法？"小苏希挠着头回

dá bà ba wǒ de shū diū le
答："爸爸，我的书丢了！"

新月集

家 庭

我独自在横跨田地的路上走着，夕阳像一个守财奴似的，正藏起它最后的金子。

白昼更加深沉地投入黑暗之中，那已经收割了的孤寂的田地，正默默地躺在那里。

天空里突然响起了一个男孩子尖锐的歌声。他穿过看不见的黑暗，留下他歌声的辙痕跨过黄昏的静谧。

他在乡村的家坐落在荒凉的土地上，在甘蔗田的后面，躲藏在香蕉树、瘦长的槟榔树、椰子树和深绿色的贾克果树（即菠萝蜜树）的阴影里。

wǒ zài xīng guāng xià dú zì zǒu zhe de
我在星光下独自走着的

lù shàng tíng liú le yí huìr
路上停留了一会

wǒ kàn jiàn
儿，我看见

hēi chén chén de dà
黑沉沉的大

dì zhǎn kāi zài wǒ de miàn
地展开在我的面

qián yòng tā de shǒu bì yōng bào zhe wú
前，用她的手臂拥抱着无

shù de jiā tíng zài nà xiē jiā tíng lǐ
数的家庭，在那些家庭里

yǒu zhe yáo lán hé chuáng pù yǒu mǔ qīn
有着摇篮和床铺，有母亲

men de xīn hé yè wǎn de dēng hái yǒu nián
们的心和夜晚的灯，还有年

qīng de shēng mìng tā men mǎn xīn huān lè
轻的生命，他们满心欢乐，

què hún rán bù zhī zhè yàng de huān lè duì
却浑然不知这样的欢乐对

yú shì jiè de jià zhí
于世界的价值。

17

来源

流泛在孩子双眼中的睡眠——有谁知道它是从什么地方来的？是的，有个谣传，说它住在被萤火虫朦胧照耀着的林荫仙村里，在那个地方，挂着两个迷人的羞怯的蓓蕾。它便是从那个地方来吻孩子的双眼的。

当孩子睡着时，在他唇上浮动着的微笑——有谁知道它是从什么地方生出来的？是的，有个谣传，说新月的一线年轻的清光，触着将消未消的秋云边上，于是微笑便初生在一个浴在清露里的早晨的梦中了——当孩子睡着时，微笑便在他的唇上浮动着。

甜蜜、柔嫩的新鲜生气，像花一般地在孩子的四肢上开放着——有谁知道它在什么地方藏得这样久？是的，当妈妈还是一个少女的时候，它已在爱的温柔而沉静的神秘中，潜伏在她的心里了——甜蜜、柔嫩的新鲜生气，像花一般地在孩子的四肢上开放着。

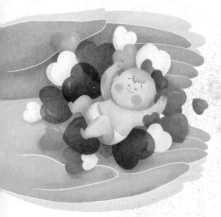

孩童之道

只要孩子愿意，他此刻便可飞上天去。

他所以不离开我们，并不是没有缘故。

他爱把他的头倚在妈妈的胸间，他即使是一刻不见她，也是不行的。孩子知道各式各样的聪明话，虽然世间的人很少懂得这些话的意义。他所以永不想说，并不是没有缘故。

他所要做的一件事，就是要学习从妈妈的嘴唇里说出来的话。那就是他所以看来这样天真的缘故。

孩子有成堆的黄金与珠子，但他到这个世界上来，却像一个乞丐。

他所以假装这样来了，并不是没有缘故。

这个可爱的小小的裸着身体的乞丐，所以假装着完全无助的样子，便是想要祈求妈妈的爱的财富。

孩子在纤小的新月的世界里，是一切束缚都没有的。

他所以放弃了他的自由，并不是没有缘故。

他知道有无穷的快乐藏在妈妈的心的小小一隅里，被妈妈亲爱的手臂所拥抱，其甜美远胜过自由。

孩子永不知道如何哭泣。他所住的地方是完全的乐土。

他所以要流泪，并不是没有缘故。

虽然他用了可爱的脸上的微笑，引逗得他妈妈的热切的心向着他，然而他的因为细故而发的小小的哭声，却编成了怜与爱的双重约束的带子。

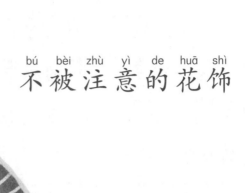

不被注意的花饰

啊，谁给那件小外衫染上颜色的，我的孩子，谁使你温软的肢体穿上那件红的小外衫的？

你在早晨就跑出来到天井里玩儿，你，跑着就像摇摇欲坠似的。

但是谁给那件小外衫染上颜色的，我的

22

hái zi
孩子？

shén me shì ràng nǐ dà xiào qǐ lái de   wǒ de xiǎo xiǎo de mìng
什么事让你大笑起来的，我的小小的命

yár
芽儿？

mā ma zhàn zài mén biān   wēi xiào de wàng zhe nǐ
妈妈站在门边，微笑地望着你。

tā pāi zhe tā de shuāng shǒu   tā de shǒu zhuó dīng dāng de xiǎng zhe
她拍着她的双手，她的手镯叮当地响着，

nǐ shǒu lǐ ná zhe nǐ de zhú gānr   zài tiào wǔ   huó xiàng yí gè xiǎo xiǎo
你手里拿着你的竹竿儿在跳舞，活像一个小小

de mù tóng
的牧童。

dàn shì shén me shì ràng nǐ dà xiào qǐ lái de   wǒ de xiǎo xiǎo de
但是什么事让你大笑起来的，我的小小的

mìng yár
命芽儿？

ō   qǐ gài   nǐ shuāng shǒu pān lǒu zhù mā ma de tóu jǐng   yào
喔，乞丐，你双手攀搂住妈妈的头颈，要

qǐ tǎo xiē shén me
乞讨些什么？

ō   tān dé wú yàn de xīn   yào wǒ bǎ zhěng gè shì jiè cóng tiān
喔，贪得无厌的心，要我把整个世界从天

shàng zhāi xià lái   xiàng zhāi yí gè guǒ zi shì de   bǎ tā fàng zài nǐ de
上摘下来，像摘一个果子似的，把它放在你的

yì shuāng xiǎo xiǎo de méi guī sè de shǒu zhǎng shàng ma
一双小小的玫瑰色的手掌上吗？

ō   qǐ gài   nǐ yào qǐ tǎo xiē shén me
喔，乞丐，你要乞讨些什么？

fēng gāo xìng de dài zǒu le nǐ huái líng de dīng dāng shēng
风高兴地带走了你踝铃的叮当声。

tài yáng wēi xiào zhe wàng zhe nǐ de dǎ ban
太阳微笑着，望着你的打扮。

dāng nǐ shuì zài nǐ mā ma de bì wān lǐ shí tiān kōng zài shàng miàn
当你睡在你妈妈的臂弯里时，天空在上面

wàng zhe nǐ ér zǎo chen niè shǒu niè jiǎo de zǒu dào nǐ de chuáng gēn qián
望着你，而早晨蹑手蹑脚地走到你的床跟前，

wěn zhe nǐ de shuāng yǎn
吻着你的双眼。

fēng gāo xìng de dài zǒu le nǐ huái líng de dīng dāng shēng
风高兴地带走了你踝铃的叮当声。

xiān xiāng lǐ de mèng pó fēi guò méng lóng de tiān kōng xiàng nǐ fēi lái
仙乡里的梦婆飞过朦胧的天空，向你飞来。

zài nǐ mā ma de xīn tóu shàng nà shì jiè mǔ qīn zhèng hé nǐ
在你妈妈的心头上，那世界母亲，正和你

24

坐在一块儿。

他，向星星奏乐的人，正拿着他的横笛，

站在你的窗边。

仙乡里的梦婆飞过朦胧的天空，向你飞来。

偷睡眠者

谁从孩子的眼里把睡眠偷了去呢？我一定
要知道。

妈妈把她的水罐夹在腰间，走到近村汲水
去了。

这是正午的时候，孩子们游戏的时间已经
过去了；池中的鸭子沉默无声。

牧童躺在榕树荫下睡着了。

白鹤庄重而安静地立在檬果树(即芒果
树)边的泥泽里。

就在这个时候，偷睡眠者跑来从孩子的两
眼里捉住睡眠，便飞去了。当妈妈回来时，她看见孩子四肢着地地在屋里爬着。

谁从孩子的眼里把睡眠偷了去呢？我一定要知道。我一定要找到她，把她锁起来。

我一定要向那个黑洞里张望，在这个洞里，有一道小泉从圆的和有皱纹的石头上滴下来。

我一定要到醉花·（生长在坦桑尼亚的山野中，它的花瓣味道香甜，动物或者人一闻到它的味道，就会如同喝醉酒一样变得昏昏沉沉）林中的沉寂的树影里搜寻，在这林中，鸽子在它们住的地方咕咕地

27

jiào zhe xiān nǚ de jiǎo huán zài fán xīng mǎn tiān de jìng yè lǐ dīng dāng de

叫着，仙女的脚环在繁星满天的静夜里叮当地

xiǎng zhe

响着。

wǒ yào zài huáng hūn shí xiàng jìng jìng de xiāo xiāo de zhú lín lǐ kuī

我要在黄昏时，向静静的萧萧的竹林里窥

wàng zài zhè lín zhōng yíng huǒ chóng shǎn shǎn de hào fèi tā men de guāng

望，在这林中，萤火虫闪闪地耗费它们的光

míng zhǐ yào yù jiàn yí gè rén wǒ biàn yào wèn tā shuí néng gào su

明，只要遇见一个人，我便要问他："谁能告诉

我，偷睡眠者住在什么地方？"

谁从孩子的眼里把睡眠偷了去呢？我一定要知道。

只要我能捉住她，怕是会给她一顿好教训！

我要闯入她的巢穴，看她把所有偷来的睡眠藏在什么地方。

我要把它们都夺来，带回家去。

我要把她的双翼缚得紧紧的，把她放在河边，然后让她拿一根芦苇在灯芯草和睡莲间钓鱼为戏。

黄昏，街上已经收了市，村里的孩子们都坐在妈妈的膝上时，夜鸟便会讥笑地在她耳边说："你现在还想偷谁的睡眠呢？"

海边

孩子们会集在无边无际的世界的海边。

无垠的天穹静止地临于头上，不息的海水在足下汹涌。孩子们会集在无边无际的世界的海边，叫着，跳着。

他们拿沙来建筑房屋，拿空贝壳来做游戏。他们把落叶编成了船，笑嘻嘻地把它们放到大海上。孩子们在世界的海边，做他们的游戏。

他们不知道怎样泅水，他们不知道怎样撒网。采珠的人为了珠潜水，商人在他们的船上航行，孩子们却只把小圆石聚了又散。他们不搜求宝藏，他们也不知道怎样撒网。

大海哗笑着涌起波浪，而海

滩的微笑荡漾着淡淡的光芒。致人死命的波浪，对着孩子们唱着无意义的歌曲，就像一个母亲在摇动她孩子的摇篮时一样。大海和孩子们一同游戏，而海滩的微笑荡漾着淡淡的光芒。

孩子们会集在无边无际的世界的海边。狂风暴雨飘游在无辙迹的天空中，航船沉碎在无辙迹的海水里，死神正在外面活动，孩子们却在游戏。在无边无际的世界的海边，孩子们会集着。

<ruby>开<rt>kāi</rt></ruby> <ruby>始<rt>shǐ</rt></ruby>

"<ruby>我<rt>wǒ</rt></ruby><ruby>是<rt>shì</rt></ruby><ruby>从<rt>cóng</rt></ruby><ruby>哪<rt>nǎr</rt></ruby><ruby>儿<rt></rt></ruby><ruby>来<rt>lái</rt></ruby><ruby>的<rt>de</rt></ruby>，<ruby>你<rt>nǐ</rt></ruby><ruby>在<rt>zài</rt></ruby><ruby>哪<rt>nǎr</rt></ruby><ruby>儿<rt></rt></ruby><ruby>把<rt>bǎ</rt></ruby><ruby>我<rt>wǒ</rt></ruby><ruby>捡<rt>jiǎn</rt></ruby><ruby>起<rt>qǐ</rt></ruby><ruby>来<rt>lái</rt></ruby><ruby>的<rt>de</rt></ruby>？"<ruby>孩<rt>hái</rt></ruby><ruby>子<rt>zi</rt></ruby><ruby>问<rt>wèn</rt></ruby><ruby>他<rt>tā</rt></ruby><ruby>的<rt>de</rt></ruby><ruby>妈<rt>mā</rt></ruby><ruby>妈<rt>ma</rt></ruby>。

<ruby>她<rt>tā</rt></ruby><ruby>把<rt>bǎ</rt></ruby><ruby>孩<rt>hái</rt></ruby><ruby>子<rt>zi</rt></ruby><ruby>紧<rt>jǐn</rt></ruby><ruby>紧<rt>jǐn</rt></ruby><ruby>地<rt>de</rt></ruby><ruby>搂<rt>lǒu</rt></ruby><ruby>在<rt>zài</rt></ruby><ruby>胸<rt>xiōng</rt></ruby><ruby>前<rt>qián</rt></ruby>，<ruby>半<rt>bàn</rt></ruby><ruby>哭<rt>kū</rt></ruby><ruby>半<rt>bàn</rt></ruby><ruby>笑<rt>xiào</rt></ruby><ruby>地<rt>de</rt></ruby><ruby>答<rt>dá</rt></ruby><ruby>道<rt>dào</rt></ruby>——

"<ruby>你<rt>nǐ</rt></ruby><ruby>曾<rt>céng</rt></ruby><ruby>被<rt>bèi</rt></ruby><ruby>我<rt>wǒ</rt></ruby><ruby>当<rt>dàng</rt></ruby><ruby>作<rt>zuò</rt></ruby><ruby>心<rt>xīn</rt></ruby><ruby>愿<rt>yuàn</rt></ruby><ruby>藏<rt>cáng</rt></ruby><ruby>在<rt>zài</rt></ruby><ruby>我<rt>wǒ</rt></ruby><ruby>的<rt>de</rt></ruby><ruby>心<rt>xīn</rt></ruby><ruby>里<rt>lǐ</rt></ruby>，<ruby>我<rt>wǒ</rt></ruby><ruby>的<rt>de</rt></ruby><ruby>宝<rt>bǎo</rt></ruby><ruby>贝<rt>bèi</rt></ruby>。

"<ruby>你<rt>nǐ</rt></ruby><ruby>曾<rt>céng</rt></ruby><ruby>存<rt>cún</rt></ruby><ruby>在<rt>zài</rt></ruby><ruby>于<rt>yú</rt></ruby><ruby>我<rt>wǒ</rt></ruby><ruby>孩<rt>hái</rt></ruby><ruby>童<rt>tóng</rt></ruby><ruby>时<rt>shí</rt></ruby><ruby>代<rt>dài</rt></ruby><ruby>玩<rt>wán</rt></ruby><ruby>的<rt>de</rt></ruby><ruby>泥<rt>ní</rt></ruby><ruby>娃<rt>wá</rt></ruby><ruby>娃<rt>wa</rt></ruby><ruby>身<rt>shēn</rt></ruby><ruby>上<rt>shàng</rt></ruby>；<ruby>每<rt>měi</rt></ruby><ruby>天<rt>tiān</rt></ruby><ruby>早<rt>zǎo</rt></ruby><ruby>晨<rt>chen</rt></ruby><ruby>我<rt>wǒ</rt></ruby><ruby>用<rt>yòng</rt></ruby><ruby>泥<rt>ní</rt></ruby><ruby>土<rt>tǔ</rt></ruby><ruby>塑<rt>sù</rt></ruby><ruby>造<rt>zào</rt></ruby><ruby>我<rt>wǒ</rt></ruby><ruby>的<rt>de</rt></ruby><ruby>神<rt>shén</rt></ruby><ruby>像<rt>xiàng</rt></ruby>，<ruby>那<rt>nà</rt></ruby><ruby>时<rt>shí</rt></ruby><ruby>我<rt>wǒ</rt></ruby><ruby>反<rt>fǎn</rt></ruby><ruby>复<rt>fù</rt></ruby><ruby>地<rt>de</rt></ruby><ruby>塑<rt>sù</rt></ruby><ruby>了<rt>le</rt></ruby><ruby>又<rt>yòu</rt></ruby><ruby>捏<rt>niē</rt></ruby><ruby>碎<rt>suì</rt></ruby><ruby>了<rt>le</rt></ruby><ruby>的<rt>de</rt></ruby><ruby>就<rt>jiù</rt></ruby><ruby>是<rt>shì</rt></ruby><ruby>你<rt>nǐ</rt></ruby>。

"<ruby>你<rt>nǐ</rt></ruby><ruby>曾<rt>céng</rt></ruby><ruby>和<rt>hé</rt></ruby><ruby>我<rt>wǒ</rt></ruby><ruby>们<rt>men</rt></ruby><ruby>的<rt>de</rt></ruby><ruby>家<rt>jiā</rt></ruby><ruby>庭<rt>tíng</rt></ruby><ruby>守<rt>shǒu</rt></ruby><ruby>护<rt>hù</rt></ruby><ruby>神<rt>shén</rt></ruby><ruby>一<rt>yì</rt></ruby><ruby>同<rt>tóng</rt></ruby><ruby>受<rt>shòu</rt></ruby><ruby>到<rt>dào</rt></ruby><ruby>祀<rt>sì</rt></ruby><ruby>奉<rt>fèng</rt></ruby>，<ruby>我<rt>wǒ</rt></ruby><ruby>崇<rt>chóng</rt></ruby><ruby>拜<rt>bài</rt></ruby><ruby>家<rt>jiā</rt></ruby><ruby>神<rt>shén</rt></ruby><ruby>时<rt>shí</rt></ruby><ruby>也<rt>yě</rt></ruby><ruby>就<rt>jiù</rt></ruby><ruby>崇<rt>chóng</rt></ruby><ruby>拜<rt>bài</rt></ruby><ruby>了<rt>le</rt></ruby><ruby>你<rt>nǐ</rt></ruby>。

"你曾活在我所有的希望和爱情里，活在我的生命里，我母亲的生命里。

"在主宰着我们家庭的不死的精灵的膝上，你已经被抚育了好多年了。

"当我做女孩子的时候，我的心的花瓣儿张开，你就像一股花香似的散发出来。

"你的软软的温柔，在我青春的肢体上开花了，像太阳出来之前的天空中的曙光。

"上天的第一宠儿，晨曦的孪生兄弟，你从生命的溪流浮泛而下，终于停泊在我的心头。

"当我凝视你的脸蛋儿的时候，神秘之感淹没了我；你这属于人的，竟成了我的。

"因为怕失掉你，我把你紧紧地搂在胸前。是什么魔术把这世界的宝贝引到我这双纤细的手臂里来的呢？"

孩子的世界

我愿我能在我孩子自己的世界的中心，占一角清净地。

我知道有星星同他说话，天空也在他面前垂下，用它傻傻的云朵和彩虹来愉悦他。

那些大家以为他是哑的人，那些看上去像是永不会走动的人，都带来了他们的故事，捧着满装着五颜六色的玩具的盘子，匍匐地来到他的窗前。

我愿我能在孩子心中的道路上游行，解除一切的束缚。

在那儿，使者奉了无所谓的使命奔走于

34

^{wú} ^{shǐ} ^{de} ^{zhū} ^{wáng} ^{de} ^{wáng} ^{guó} ^{jiān}
无史的诸王的王国间。

^{zài} ^{nàr}　^{lǐ} ^{zhì} ^{yǐ} ^{tā} ^{de} ^{fǎ} ^{lù} ^{zào} ^{wéi} ^{zhǐ} ^{yuān} ^{ér} ^{fēi}
在那儿，理智以她的法律造为纸鸢而飞

^{fàng}　^{zhēn} ^{lǐ} ^{yě} ^{shǐ} ^{shì} ^{shí} ^{cóng} ^{zhì} ^{gù} ^{zhōng} ^{zì} ^{yóu} ^{le}
放，真理也使事实从桎梏中自由了。

35

时候与原因

当我给你五颜六色的玩具的时候，我的孩子，我明白了为什么云上水上是这样的色彩缤纷，为什么花朵上染上绚烂的颜色了——当我给你五颜六色的玩具的时候，我的孩子。

当我唱着使你跳舞的歌的时候，我真的知道了为什么树叶儿响着音乐，为什么波浪把它们的合唱的声音送进静听着的大地的心头了——当我唱着使你跳舞的歌的时候。

当我把糖果送到你贪得无厌的双手上的时候，我知道了为什么在花萼里会有蜜，为什么水果里会秘密地充溢着甜汁了——当我把糖果送到你贪得无厌的双手上的时候。

当我吻着你的脸蛋儿叫你微笑的时候，我的宝贝，我的确明白了在晨光里从天上流下来的是什么样的快乐，而夏天的微风吹拂在我的身体上的又是怎样的爽快——当我吻着你的脸蛋儿叫你微笑的时候。

37

责 备

为什么你眼里有了眼泪，我的孩子？

他们真是可怕，常常无谓地责备你！

你写字时墨水沾污了你的手和脸——这就
是他们所以骂你龌龊的缘故吗？

呵，呸！他们也敢因为圆圆的月儿用墨水
涂了脸，便骂它龌龊吗？

他们总要为了每一件小事去责备你，我的
孩子。他们总是无谓地寻人错处。

你游戏时扯破了你的衣服——这就是他们
所以说你不整洁的缘故吗？

呵，呸！秋之晨从它的破碎的云衣中露

出微笑，那么，他们要叫它什么呢？

他们对你说什么话，可以不去理睬他，我的孩子。

他们把你做错的事长长地记了一笔账。

谁都知道你是十分喜欢糖果的——这就是他们所以称你作贪婪的缘故吗？

呵，呸！我们是喜欢你的，那么，他们要叫我们什么呢？

审判官

你想说他什么就尽管说吧，但是我知道我孩子的短处。

我爱他并不因为他好，只是因为他是我的小小的孩子。

你如果把他的好处与坏处两两相权一下，恐怕你就会知道他是如何的可爱吧？

当我必须责罚他的时候，他更成为我的生命的一部分了。当我使他眼泪流出时，我的心也和他一同哭了。

只有我才有权去骂他、去责罚他，因为只有热爱他的人才可以惩戒他。

玩 具

孩子，你真是快活呀，一个早晨都坐在泥土里，耍着折下来的小树枝儿。

我微笑地看你在那里耍着那根折下来的小树枝儿。

我正忙着算账，一小时又一小时地在那里加叠数字。

也许你在看我，想道："这种好没趣的游戏，竟把你一早晨的好时间浪费掉了！"

孩子，我忘了聚精会神玩耍树枝与泥饼的方法了。

我寻求贵重的玩具，收集金块与银块。

你呢，无论找到什么便去做你的快乐的游戏，我呢，却把时间与力气都浪费在那些永不能得到的东西上。

我在脆薄的独木船里挣扎着要航过欲望之海，竟忘了我也曾在那里做游戏了。

天文家

我不过说："当傍晚圆圆的满月挂在迦昙波（昙花）的枝头时，有人能去捉住它吗？"哥哥却对我笑道："孩子呀，你真是我所见过的顶顶傻的孩子。月亮离我们这样远，谁能去捉住它呢？"

我说："哥哥，你真傻！当妈妈向窗外探望，微笑着往下看我们游戏时，你也能说她远吗？"

哥哥还是说："你这个傻孩子！但是，孩子，你到哪里去找一个大得能逮住月亮的网呢？"

44

wǒ shuō nǐ zì rán kě yǐ yòng shuāng shǒu qù zhuō zhù tā ya
我说：“你自然可以用双手去捉住它呀。”

dàn shì gē ge hái shi xiào zhe shuō nǐ zhēn shi wǒ suǒ jiàn guo de
但是哥哥还是笑着说：“你真是我所见过的
dǐng dǐng shǎ de hái zi rú guǒ yuè liang zǒu jìn le nǐ biàn zhī dào tā
顶顶傻的孩子！如果月亮走近了，你便知道它
shì duō me dà le
是多么大了。”

wǒ shuō gē ge nǐ men xué xiào lǐ suǒ jiāo de
我说：“哥哥，你们学校里所教的，
zhēn shi méi yǒu yòng ya dāng mā ma dī xià liǎn gēn wǒ men qīn wěn
真是没有用呀！当妈妈低下脸跟我们亲吻
shí tā de liǎn kàn qǐ lái yě shì hěn dà de me
时，她的脸看起来也是很大的么！”

dàn shì gē ge hái shi shuō nǐ zhēn shi yí gè shǎ hái zi
但是哥哥还是说：“你真是一个傻孩子。”

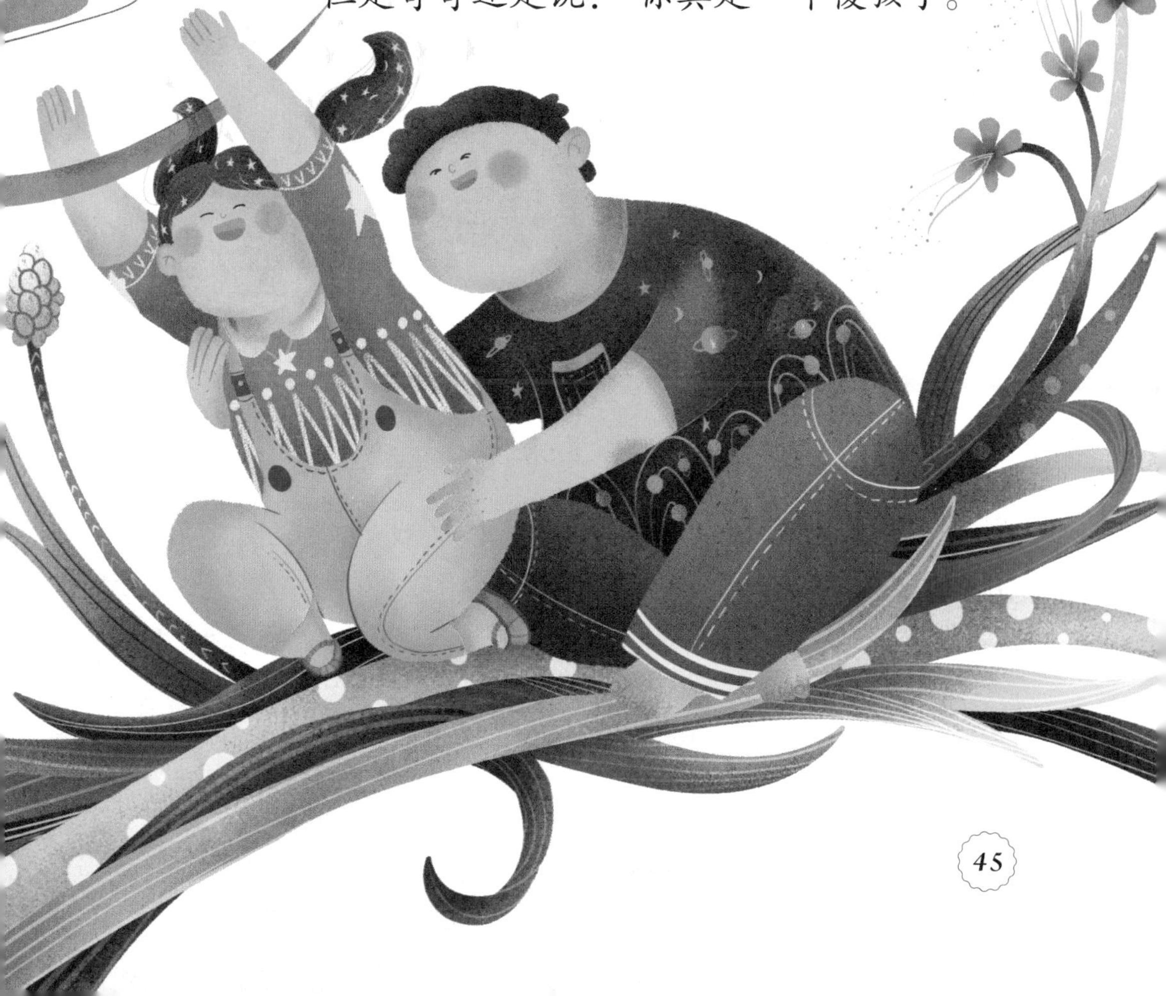

云与波

妈妈，住在云端的人对我唤道——

"我们从醒的时候游戏到白天终止。我们与金黄色的曙光游戏，我们与银白色的月亮游戏。"

我问道："但是，我怎么能够上你那里去呢？"

他们答道："你到地球的边上来，举手向天，就可以被接到云端里来了。"

"我妈妈在家里等我呢，"我说，"我怎么能离开她而来呢？"

于是他们微笑着浮游而去。

dàn shì wǒ zhī dào yí gè bǐ zhè ge gèng hǎo de yóu xì mā

但是我知道一个比这个更好的游戏，妈

ma

妈。

wǒ zuò yún nǐ zuò yuè liang

我做云，你做月亮。

wǒ yòng liǎng zhī shǒu zhē gài nǐ wǒ men de wū dǐng jiù shì qīng bì

我用两只手遮盖你，我们的屋顶就是青碧

sè de tiān kōng

色的天空。

zhù zài bō làng shàng de rén duì wǒ huàn dào

住在波浪上的人对我唤道——

47

“我们从早晨唱歌到晚上；我们前进又前进地旅行，也不知我们所经过的是什么地方。”

我问道：“但是，我怎么能加入你们队伍里去呢？”

他们告诉我说：“来到岸旁，站在那里，紧闭你的两眼，你就能到波浪上来了。”

我说：“傍晚的时候，我妈妈常要我在家里——我怎么能离开她而去呢？”

于是他们微笑着，跳着舞奔流过去。

但是我知道一个比这个更好的游戏。

我是波浪，你是陌生的岸。

我奔流而进，进，进，笑哈哈地撞碎在你的膝上。

世界上就没有一个人会知道我们俩在什么地方了。

49

金色花

假如我变成了一朵金色花（印度的圣树，会开出金黄色的碎花），只是为了好玩，长在那棵树的高枝上，笑哈哈地在风中摇摆，又在新生的树叶上跳舞，妈妈，你会认出我吗？

你要是叫道："孩子，你在哪里呀？"我暗暗地在那里匿笑，却一声儿不响。

我要悄悄地开放花瓣儿，看着你工作。

当你沐浴后，湿发披在两肩，穿过金色花的林荫，走到你做祷告的小庭院时，你会嗅到这花的香气，却不知道这香气是从我身上散发的。

当你吃过中饭，坐在窗前读

50

《罗摩衍那》，那棵树的阴影落在你的头发与膝上时，我便要投我的小小的影子在你的书页上，正投在你所读的地方。但是你会猜得出这就是你的小孩子的小影子吗？

当你黄昏时拿了灯到牛棚里去，我便要突然地落到地上来，又成了你的孩子，求你讲个故事给我听。

"你到哪里去了，你这坏孩子？"

"我不告诉你，妈妈。"

这就是你同我那时所要说的话了。

仙人世界
xiān rén shì jiè

如果人们知道了我的国王的宫殿在哪里，
rú guǒ rén men zhī dào le wǒ de guó wáng de gōng diàn zài nǎ lǐ

它就会消失在空气中的。
tā jiù huì xiāo shī zài kōng qì zhōng de

墙壁是白色的银，屋顶是耀眼的黄金。
qiáng bì shì bái sè de yín wū dǐng shì yào yǎn de huáng jīn

皇后住在有七个庭院的宫苑里；她戴的一
huáng hòu zhù zài yǒu qī gè tíng yuàn de gōng yuàn lǐ tā dài de yí

串珠宝，值得上 整 整七个王国的全部财富。
chuàn zhū bǎo zhí dé shàng zhěng zhěng qī gè wáng guó de quán bù cái fù

不过，让我悄悄地告诉你，妈妈，我的国王的宫殿究竟在哪里。

它就在我们阳台的角上，在那栽着杜尔茜花（即罗勒花，是印度人日常生活中离不开的神草）的花盆放着的地方。

公主躺在远远的隔着七个不可逾越的重洋的那一岸沉睡着。

除了我自己，世界上便没有人能够找到她。

她臂上有镯子，她耳上挂着珍珠；她的头

发拖到地板上。

当我用我的魔杖点触她的时候，她就会
醒过来；而当她微笑时，珠玉将会从她唇边落
下来。

不过，让我在你的耳朵边悄悄地告诉你，
妈妈，她就住在我们阳台的角上，在那栽着杜
尔茜花的花盆放着的地方。

当你要到河里洗澡的时候，你走上屋顶的
那座阳台来吧。

54

我就坐在墙的阴影所聚集的一个角落里。

我只让小猫儿跟我在一起，因为它知道那故事里的理发匠（印度童话故事里的人物）住的地方。

不过，让我在你的耳朵边悄悄地告诉你，那故事里的理发匠到底住在哪里。

他住的地方，就在阳台的角上，在那栽着杜尔茜花的花盆放着的地方。

流放的地方

妈妈，天空上的光成了灰色的了；我不知道是什么时候了。

我玩得怪没劲儿的，所以到你这里来了。

这是星期六，是我们的休息日。

放下你的活计，妈妈；坐在靠窗的一边，

告诉我童话里的特潘塔沙漠（印度童话故事里的一个虚构的沙漠）在什么地方？

雨的影子遮掩了整个白天。凶猛的电光
用它的爪子抓着天空。当乌云在轰轰地响着，
天打着雷的时候，我总爱心里带着恐惧爬伏到
你的身上。

当大雨倾泻在竹叶子上好几个钟头，而我
们的窗户被狂风震得咯咯发响的时候，我就爱
独自和你坐在屋里，妈妈，听你讲童话里的
特潘塔沙漠的故事。

它在哪里，妈妈，在哪一个海洋的岸

上，在哪些个山峰的脚下，在哪一个国王的国土里？

田地上没有此疆彼壤的界石，也没有村人在黄昏时走回家的，或妇人在树林里捡拾枯枝捆载到市场上去的道路。沙地上只有一小块一小块的黄色草地，只有一株树，就是那一对聪明的老鸟儿在那里做窝的，那个地方就是特潘塔沙漠。

我能够想象得到，就在这样一个乌云密布的日子，国王年轻的儿子，是怎样地独自骑着一匹灰色的马，走过这个沙漠，去寻找那被囚禁在不可知的重洋之外的巨人宫里的公主。

当雨雾在遥远的天空下降，电光像一阵突然发作的痛楚，痉挛似的闪射的时候，他可记得他的不幸的母亲，为国王所弃，正在扫除牛棚，眼里流着眼泪？当他骑马走过童话里的特潘塔沙漠的时候。

看，妈妈，一天还没有完，天色就差不多黑了，那边村庄的路上没有什么旅客了。

牧童早就从牧场上回家了，人们都已从田地里回来，坐在他们草屋的檐下的草席上，眼望着阴沉的云块。

妈妈，我把我所有的书本都放在书架上了——现在不要叫我做功课。

当我长大了，大得像爸爸一样的时候，我将会学到必须学到的东西。但是，今天你可得告诉我，妈妈，童话里的特潘塔沙漠在什么地方？

雨　天

乌云很快地聚拢在森林的黝黑的边缘上。

孩子，不要出去呀！

湖边的一行棕树，向冥暗的天空撞着头；羽毛零乱的乌鸦，静悄悄地栖在罗望子（即酸豆树）的枝上，河的东岸正被乌沉沉的暝色所侵袭。

我们的牛系在篱上，高声鸣叫。

孩子，在这里等着，等我先把牛牵进牛棚里去。

许多人都挤在池水泛溢的田间，捉那从泛溢的池中逃出来的鱼儿。雨水成了小河，流

60

过狭弄，好像一个嬉笑的孩子从他妈妈那里跑开，故意要惹恼她一样。

听呀，有人在浅滩上喊船夫呢。孩子，天色冥暗了，渡头的摆渡船已经停了。

天空好像是在滂沱的雨上快跑着；河里的水喧叫而且暴躁；妇人们早已拿着汲满了水的水罐，从恒河畔匆匆地回家了。

夜里用的灯，一定要预备好。

孩子，不要出去呀！到市场去的大道已没有人走，到河边去的小路又很滑。风在竹林里咆哮着、挣扎着，好像一只落在网中的野兽。

纸　船

我每天把纸船一个个放在急流的溪中。

我用大黑字写我的名字和我住的村名在纸
船上。

我希望住在异地的人会得到这纸船，知道
我是谁。

我把园中长的秀利花（又名玉碧莲、蓝
茉莉）载在我的小船上，希望这些黎明开的花
能在夜里平平安安地被带到岸上。

我投我的纸船到水里，仰望天空，看见小
朵的云正张着满鼓着风的白帆。

我不知道天上有我的什么游伴

把这些船放下来同我的船比赛！

夜来了，我的脸埋在手臂里，梦见我的纸船在子夜的星光下缓缓地浮泛前去。

睡仙坐在船里，带着满载着梦的篮子。

63

水手 (shuǐ shǒu)

船夫曼特胡（印度童话故事里的一个虚构的人物）的船只停泊在拉琪根琪码头（印度童话故事里的一个虚构的码头）。这只船无用地装载着黄麻，无所事事地停泊在那里已经好久了。只要他肯把他的船借给我，我就给它安装一百支桨，扬起五个或六个或七个布帆。

我决不把它驾驶到愚蠢的市场上去。我将航行遍仙人世界（印度童话故事里的一个虚构的世界）里的七个大海和十三条河道。但是，妈妈，你不要躲在角落里为我哭泣。

我不会像"罗摩犍陀罗"(《罗摩衍那》里的主角)似的,到森林中去,一去十四年才回来。我将成为故事中的王子,把我的船装满了我喜欢的东西。我将带我的朋友阿细和我做伴。我们要快快乐乐地航行于仙人世界里的七个大海和十三条河道。我将在绝早的晨光里扬帆航行。

中午,你正在池塘里洗澡的时候,我们将在一个陌生的国王的国土上了。我们将经过特浦尼浅滩(印度童话故事里的一个虚构的浅滩),把特潘塔沙漠抛落在我们的后边。

当我们回来的时候,天色快黑了,我将告诉你我们所见到的一切。

我将越过仙人世界里的七个大海和十三条河道。

对岸

我渴望到河的对岸去。在那边，好些船只
一行儿系在竹竿上；人们在早晨乘船渡过那
边去，肩上扛着犁头，去耕耘他们的远处的
田；在那边，牧人使他们鸣叫着的牛游泳到河
旁的牧场去。

黄昏的时候，他们都回家了，只留下豺狼
在这满长着野草的岛上哀叫。

妈妈，如果你不在意，我长大的时候，要
做这渡船的船夫。

据说有好些古怪的池塘藏在这个高岸之
后。雨过去了，一群一群的野鹜飞到那里去，

茂盛的芦苇在岸边四围生长，水鸟在那里生蛋；竹鸡带着跳舞的尾巴，将它们细小的足印印在洁净的软泥上。

黄昏的时候，长草顶着白花，邀月光在长草的波浪上浮游。

妈妈，如果你不在意，我长大的时候，要做这渡船的船夫。

我要自此岸至彼岸，渡过来，渡过去，所有村中正在那儿沐浴的男孩儿、女孩儿，都要诧异地望着我。太阳升到中天，早晨变为正午了，我将跑到你那里去，说道："妈妈，我饿了！"

一天完了，影子俯伏在树底下，我便要在黄昏中回家来。

我将永不同爸爸那样，离开你到城里去做事。

妈妈，如果你不在意，我长大的时候，要做这渡船的船夫。

花的学校

当雷云在天上轰响，六月的阵雨落下的时候。

湿润的东风走过荒野，在竹林中吹着口笛。

于是一群一群的花从无人知道的地方突然跑出来，在绿草上狂欢地跳着舞。

妈妈，我真的觉得那群花孩子是在地下的学校里上学。

他们关了门做功课，如果他们想在散学以前出来做游戏，他们的老师是要罚他们站壁角的。

雨一来，他们便放假了。

树枝在林中互相碰触着，绿叶在狂风里萧萧地响着，雷云拍着大手，花孩子们便在那时候穿了紫的、黄的、白的衣裳，冲了出来。

你可知道，妈妈，他们的家在天上，在星星住的地方。

你没有看见他们怎样地急着要到那儿去吗？你不知道他们为什么那样匆匆忙忙吗？

我自然能够猜得出他们是对谁扬起双臂来：他们也有他们的妈妈，就像我有我自己的妈妈一样。

69

商人
shāng rén

妈妈，让我们想象，你待在家里，我到异邦去旅行。

再想象，我的船已经装得满满的，在码头上等候起锚（开船）了。

现在，妈妈，好生想一想再告诉我，回来的时候要我带些什么给你。

妈妈，你要一堆一堆的黄金吗？

在金河的两岸，田野里全是金色的稻实。

在林荫的路上，金色花也一朵一朵地落在地上。

我要为你把它们全都收拾起来，放在好

几百个篮子里。

妈妈，你要秋天的雨点儿一般大的珍珠吗？

我要渡海到珍珠岛的岸上去。

那个地方，在清晨的曙光里，珠子在草地的野花上颤动。珠子落在绿草上，珠子被汹狂的海浪一大把一大把地撒在沙滩上。

我的哥哥呢，我要送他一对有翼的马，可以在云端飞翔的。

爸爸呢，我要带一支有魔力的笔给他，他还没有察觉，笔就写出字来了。

你呢，妈妈，我一定要把那个价值七个王国的首饰箱和珠宝送给你。

同情
tóng qíng

rú guǒ wǒ zhǐ shì yì zhī xiǎo gǒu ér bú shì nǐ de xiǎo háir
如果我只是一只小狗，而不是你的小孩

qīn ài de mā ma dāng wǒ xiǎng chī nǐ de pán lǐ de dōng xi
儿，亲爱的妈妈，当我想吃你的盘里的东西

shí nǐ yào duì wǒ shuō bù ma
时，你要对我说"不"吗？

nǐ yào gǎn kāi wǒ duì wǒ shuō gǔn kāi nǐ zhè táo qì de
你要赶开我，对我说"滚开，你这淘气的

xiǎo gǒu ma
小狗"吗？

nà me zǒu ba mā ma zǒu ba dāng nǐ jiào huàn wǒ de
那么，走吧，妈妈，走吧！当你叫唤我的

shí hou wǒ jiù yǒng bú dào nǐ nà lǐ qù yě yǒng bú yào nǐ zài wèi
时候，我就永不到你那里去，也永不要你再喂

wǒ chī dōng xi le
我吃东西了。

rú guǒ wǒ zhǐ shì yì zhī lù sè de xiǎo yīng wǔ ér bú shì
如果我只是一只绿色的小鹦鹉，而不是

nǐ de xiǎo háir qīn ài de mā ma nǐ yào bǎ wǒ jǐn jǐn de suǒ
你的小孩儿，亲爱的妈妈，你要把我紧紧地锁

zhù pà wǒ fēi zǒu ma
住，怕我飞走吗？

你要对我摇你的手，说"怎样的一只不知感恩的贱鸟呀！整日整夜地尽在咬它的链子"吗？

那么，走吧，妈妈，走吧！我要跑到树林里去，我就永不再让你抱我在你的臂弯里了。

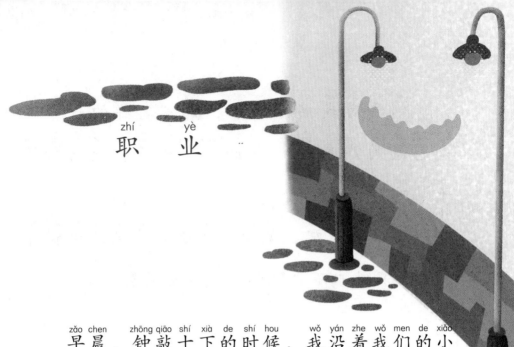

职业

早晨，钟敲十下的时候，我沿着我们的小巷走到学校去。

每天我都遇见那个小贩，他叫道："镯子呀，亮晶晶的镯子！"

他没有什么事情急着要做，他没有哪条街一定要走，他没有什么地方一定要去，他没有什么时间一定要回家。

我愿意做一个小贩，在街上过日子，叫着："镯子呀，亮晶晶的镯子！"

下午四点，我从学校里回家。

一到家门口，我看见一个园丁在那里掘地。

他用他的锄子，要怎么掘，便怎么掘，他被尘土污了衣裳，如果他被太阳晒黑了或是身上被打湿了，都没有人骂他。

我愿意我是一个园丁，在花园里掘地，谁也不来阻止我。

天色刚黑，妈妈就送我上床。

从开着的窗口，我看得见更夫走来走去。

小巷又黑又冷清，路灯立在那里，像一个头上生着一只红眼睛的巨人。

更夫摇着他的提灯，跟他身边的影子一起走着，他一生都没有一次上床去睡过。

我愿意我是一个更夫，整夜在街上走，提了灯去追逐影子。

长 者

zhǎng zhě

妈妈，你的孩子真傻！她是那么可笑的不懂事！

她不知道路灯和星星的区别。

当我们玩着把小石子当食物的游戏时，她便以为它们真是可以吃的东西，竟想放进嘴里去。

当我翻开一本书，放在她面前，要她读a，b，c时，她却用手把书页撕了，无端快活地叫起来。你的孩子就是这样做功课的。

当我生气地对她摇头、骂她、说她顽皮时，她却哈哈大笑，以为很有趣。

谁都知道爸爸不在家，但是，如

果我在游戏时高声叫一声"爸爸"，她便要高兴地四处张望，以为爸爸真是近在身边。

当我把洗衣人带来载衣服回去的驴子当作学生，并且警告她说，我是老师，她却无缘无故地乱叫起我哥哥来。

你的孩子要捉月亮。她是这样的可笑；她把格尼许（印度教三大主神之一的毁灭神湿婆的儿子）唤作琪奴许。

妈妈，你的孩子真傻，她是那么可笑的不懂事！

小大人

我人很小，因为我是一个小孩子。到了我像爸爸一样的年纪时，便要长大了。

我的先生要是走来说道："时候晚了，把你的石板、你的书拿来。"

我便要告诉他道："你不知道我已经同爸爸一样大了吗？我决不再学什么功课了。"

我的老师便将惊异地说道："他读书不读书可以随便，因为他是大人了。"

我将自己穿好衣裳，走到人群拥挤的市场里去。

我的叔叔要是跑过来说道："你要迷路了，我的孩子，让我领着你吧。"

我便要回答道："你没有看见吗？叔叔，我已经同爸爸一样大了。我决定要独自一个人到市场里去。"

叔叔便将说道："是的，他随便到哪里去都可以，因为他是大人了。"

当我正拿钱给我的保姆时，妈妈便要从浴室中出来，因为我是知道怎样用我的钥匙去开银箱的。

妈妈要是说道："你在做什么呀，顽皮的孩子？"

我便要告诉她道："妈妈，你不知道我已经同爸爸一样大了吗？我必须拿钱给保姆。"

妈妈便将自言自语道："他可以随便把钱给他所喜欢的人，因为他是大人了。"

当十月里放假的时候，爸爸将要回家，他会以为我还是一个小孩子，为我从城里带来了

80

^{xiǎo xié zi hé xiǎo chóu shān}
小鞋子和小绸衫。

^{wǒ biàn yào shuō dào} ^{bà ba} ^{bǎ zhè xiē dōng xi gěi gē ge}
我便要说道："爸爸，把这些东西给哥哥
^{ba} ^{yīn wèi wǒ yǐ jīng tóng nǐ yí yàng dà le}
吧，因为我已经同你一样大了。"

^{bà ba biàn jiāng xiǎng le yì xiǎng} ^{shuō dào} ^{tā kě yǐ suí biàn qù}
爸爸便将想了一想，说道："他可以随便去
^{mǎi tā zì jǐ chuān de yī shang} ^{yīn wèi tā shì dà rén le}
买他自己穿的衣裳，因为他是大人了。"

十二点钟

妈妈，我真想现在不做功课了。我整个早晨都在念书呢。

你说，现在不过是十二点钟。假定不会晚过十二点吧；难道你不能把不过是十二点钟想象成下午吗？

我能够容易地想象：现在太阳已经到了那片稻田的边缘了，老态龙钟的渔婆正在池边采撷香草做她的晚餐。

我闭上了眼就能够想到，马塔尔树（即牛角瓜树）下的阴影更深黑了，池塘里的水看起来黑得发亮。

jiǎ rú shí èr diǎn zhōng néng gòu zài hēi yè lǐ dào lái   wèi shén me

假如十二点钟能够在黑夜里到来，为什么

hēi yè bù néng zài shí èr diǎn zhōng de shí hou dào lái ne

黑夜不能在十二点钟的时候到来呢？

83

著作家

你说爸爸写了许多书，但我却不懂得他所写的东西。

他整个黄昏都读书给你听，但是你真懂得他的意思吗？

妈妈，你给我们讲的故事，真是好听呀！我很奇怪，爸爸为什么不能写那样的书呢？

难道他从来没有从他自己的妈妈那里听过巨人、神仙和公主的故事吗？

还是已经完全忘记了？

他常常耽误了沐浴，你不得不走去叫他一百多次。

你总要等候着，把他的菜温着等他，但他忘了，还继续写下去。爸爸老是以著书为游戏。

如果我一走进爸爸房里去游戏，你就要走来叫道："真是一个顽皮的孩子！"

如果我稍微出一点儿声音，你就要说："你没有看见你爸爸正在工作吗？"

老是写了又写，有什么趣味呢？

当我拿起爸爸的钢笔或铅笔，跟他一模一样地在他的书上写着——a, b, c, d, e, f, g, h, i, ——那时，你为什么跟我生气呢，妈妈？

爸爸写时，你却从来不说一句话。

当我爸爸耗费了那么一大堆纸时，妈妈，你似乎完全不在乎。

但是，如果我只取了一张纸去做一只船，你却要说："孩子，你真讨厌！"

你对于爸爸拿黑点子涂满了纸的两面，污损了许多许多张纸，你心里以为怎样呢？

恶邮差

你为什么坐在那边地板上不言不动的，告诉我呀，亲爱的妈妈？

雨从开着的窗口打进来了，把你身上全打湿了，你却不管。

你听见钟已打四下了吗？正是哥哥从学校里回家的时候了。

到底发生了什么事，你的神色这样不对？

你今天没有接到爸爸的信吗？

我看见邮差在他的袋里带了许多信来，几乎镇里的每个人都分送到了。

只有爸爸的信，他留起来给他自己看。我

86

确信这个邮差是个坏人。

但是不要因此闷闷不乐呀，亲爱的妈妈。

明天是邻村市集的日子。你叫女仆去买些笔和纸来。

我自己会写爸爸所写的一切信，使你找不出一点儿错处来。

我要从A字一直写到K字。

但是，妈妈，你为什么笑呢？

你不相信我能写得同爸爸一样好！

但是我会用心画格子，把所有的字母都写得又大又美。

当我写好了时，你以为我也像爸爸那样傻，把它投入可怕的邮差的袋中吗？

我立刻就自己送来给你，而且一个字母、一个字母地帮助你读。我知道那邮差是不肯把真正的好信送给你的。

英 雄

妈妈，让我们想象我们正在旅行，经过一个陌生而危险的国度。

你坐在一顶轿子里，我骑着一匹红马，在你旁边跑着。

黄昏的时候，太阳已经下山了。约拉地希（印度童话故事里的一个虚构的地名）的荒地疲乏而灰暗地展开在我们面前。大地是凄凉而荒芜的。

你害怕了，想道："我不知道我们到了什么地方了。"

我对你说道："妈妈，不要害怕。"

草地上刺蓬蓬地长着针尖似的草，一条狭而崎岖的小道通过这块草地。

在这片广大的地面上看不见一只牛；它们已经回到它们村里的牛棚去了。

天色黑了下来，大地和天空都显得朦朦胧胧，而我们不能说出我们正走向什么地方。

突然间，你叫我，悄悄地问我："靠近河岸的是什么火光呀？"

正在那个时候，一阵可怕的呐喊声爆发了，好些人影向我们跑过来。

你蹲坐在你的轿子里，嘴里反复地祷念着神的名字。

轿夫们，怕得发抖，躲藏在荆棘丛中。

我向你喊道："不要害怕，妈妈，有我在这里。"

他们手里执着长棒，头发披散着，越走越近了。

我喊道："要当心！你们这些坏蛋！再向前走一步，你们就要送命了。"

他们又发出一阵可怕的呐喊声，向前冲过来。

你抓住我的手，说道："好孩子，看在上天的面上，躲开他们吧。"

我说道："妈妈，你瞧我的。"

91

于是我刺策着我的马匹，猛奔过去，我的剑和盾彼此碰着作响。

这一场战斗是那么激烈，妈妈，如果你从轿子里看得见的话，你一定会打冷战的。

他们之中，许多人逃走了，还有好些人被砍杀了。

我知道你那时独自坐在那里，心里正在想着，你的孩子这时候一定已经死了。

但是我跑到你的跟前，浑身溅满了鲜血，说道："妈妈，现在战争已经结束了。"

你从轿子里走出来，吻着我，把我搂在你的心头，你自言自语："如果我没有我的孩子护送我，我简直不知道怎么办才好。"

一千件无聊的事天天在发生，为什么这样一件事不能够偶然实现呢？

这很像一本书里的一个故事。

我的哥哥要说道："这是可能的事吗？我老是想，他是那么嫩弱呢！"

我们村里的人们都要惊讶地说道："这孩子正和他妈妈在一起，这不是很幸运吗？"

<ruby>告<rt>gào</rt></ruby> <ruby>别<rt>bié</rt></ruby>

<ruby>是<rt>shì</rt></ruby><ruby>我<rt>wǒ</rt></ruby><ruby>走<rt>zǒu</rt></ruby><ruby>的<rt>de</rt></ruby><ruby>时<rt>shí</rt></ruby><ruby>候<rt>hou</rt></ruby><ruby>了<rt>le</rt></ruby>，<ruby>妈<rt>mā</rt></ruby><ruby>妈<rt>ma</rt></ruby>，<ruby>我<rt>wǒ</rt></ruby><ruby>走<rt>zǒu</rt></ruby><ruby>了<rt>le</rt></ruby>。

<ruby>当<rt>dāng</rt></ruby><ruby>清<rt>qīng</rt></ruby><ruby>寂<rt>jì</rt></ruby><ruby>的<rt>de</rt></ruby><ruby>黎<rt>lí</rt></ruby><ruby>明<rt>míng</rt></ruby>，<ruby>你<rt>nǐ</rt></ruby><ruby>在<rt>zài</rt></ruby><ruby>暗<rt>àn</rt></ruby><ruby>中<rt>zhōng</rt></ruby><ruby>伸<rt>shēn</rt></ruby><ruby>出<rt>chū</rt></ruby><ruby>双<rt>shuāng</rt></ruby><ruby>臂<rt>bì</rt></ruby>，

<ruby>要<rt>yào</rt></ruby><ruby>抱<rt>bào</rt></ruby><ruby>你<rt>nǐ</rt></ruby><ruby>睡<rt>shuì</rt></ruby><ruby>在<rt>zài</rt></ruby><ruby>床<rt>chuáng</rt></ruby><ruby>上<rt>shàng</rt></ruby><ruby>的<rt>de</rt></ruby><ruby>孩<rt>hái</rt></ruby><ruby>子<rt>zi</rt></ruby><ruby>时<rt>shí</rt></ruby>，<ruby>我<rt>wǒ</rt></ruby><ruby>要<rt>yào</rt></ruby><ruby>说<rt>shuō</rt></ruby><ruby>道<rt>dào</rt></ruby>：

"<ruby>孩<rt>hái</rt></ruby><ruby>子<rt>zi</rt></ruby><ruby>不<rt>bú</rt></ruby><ruby>在<rt>zài</rt></ruby><ruby>那<rt>nà</rt></ruby><ruby>里<rt>lǐ</rt></ruby><ruby>呀<rt>ya</rt></ruby>！"——<ruby>妈<rt>mā</rt></ruby><ruby>妈<rt>ma</rt></ruby>，<ruby>我<rt>wǒ</rt></ruby><ruby>走<rt>zǒu</rt></ruby><ruby>了<rt>le</rt></ruby>。

<ruby>我<rt>wǒ</rt></ruby><ruby>要<rt>yào</rt></ruby><ruby>变<rt>biàn</rt></ruby><ruby>成<rt>chéng</rt></ruby><ruby>一<rt>yì</rt></ruby><ruby>股<rt>gǔ</rt></ruby><ruby>清<rt>qīng</rt></ruby><ruby>风<rt>fēng</rt></ruby><ruby>抚<rt>fǔ</rt></ruby><ruby>摩<rt>mó</rt></ruby><ruby>着<rt>zhe</rt></ruby><ruby>你<rt>nǐ</rt></ruby>；<ruby>我<rt>wǒ</rt></ruby><ruby>要<rt>yào</rt></ruby><ruby>变<rt>biàn</rt></ruby><ruby>成<rt>chéng</rt></ruby><ruby>水<rt>shuǐ</rt></ruby>

<ruby>中<rt>zhōng</rt></ruby><ruby>的<rt>de</rt></ruby><ruby>涟<rt>lián</rt></ruby><ruby>漪<rt>yī</rt></ruby>，<ruby>当<rt>dāng</rt></ruby><ruby>你<rt>nǐ</rt></ruby><ruby>浴<rt>yù</rt></ruby><ruby>时<rt>shí</rt></ruby>，<ruby>把<rt>bǎ</rt></ruby><ruby>你<rt>nǐ</rt></ruby><ruby>吻<rt>wěn</rt></ruby><ruby>了<rt>le</rt></ruby><ruby>又<rt>yòu</rt></ruby><ruby>吻<rt>wěn</rt></ruby>

<ruby>大<rt>dà</rt></ruby><ruby>风<rt>fēng</rt></ruby><ruby>之<rt>zhī</rt></ruby><ruby>夜<rt>yè</rt></ruby>，<ruby>当<rt>dāng</rt></ruby><ruby>雨<rt>yǔ</rt></ruby><ruby>点<rt>diǎn</rt></ruby><ruby>儿<rt>r</rt></ruby><ruby>在<rt>zài</rt></ruby><ruby>树<rt>shù</rt></ruby><ruby>叶<rt>yè</rt></ruby><ruby>中<rt>zhōng</rt></ruby><ruby>淅<rt>xī</rt></ruby><ruby>沥<rt>lì</rt></ruby><ruby>时<rt>shí</rt></ruby>，<ruby>你<rt>nǐ</rt></ruby>

<ruby>在<rt>zài</rt></ruby><ruby>床<rt>chuáng</rt></ruby><ruby>上<rt>shàng</rt></ruby>，<ruby>会<rt>huì</rt></ruby><ruby>听<rt>tīng</rt></ruby><ruby>见<rt>jiàn</rt></ruby><ruby>我<rt>wǒ</rt></ruby><ruby>的<rt>de</rt></ruby><ruby>微<rt>wēi</rt></ruby><ruby>语<rt>yǔ</rt></ruby>；<ruby>当<rt>dāng</rt></ruby><ruby>电<rt>diàn</rt></ruby><ruby>光<rt>guāng</rt></ruby><ruby>从<rt>cóng</rt></ruby><ruby>开<rt>kāi</rt></ruby><ruby>着<rt>zhe</rt></ruby><ruby>的<rt>de</rt></ruby>

<ruby>窗<rt>chuāng</rt></ruby><ruby>口<rt>kǒu</rt></ruby><ruby>闪<rt>shǎn</rt></ruby><ruby>进<rt>jìn</rt></ruby><ruby>你<rt>nǐ</rt></ruby><ruby>的<rt>de</rt></ruby><ruby>屋<rt>wū</rt></ruby><ruby>里<rt>lǐ</rt></ruby><ruby>时<rt>shí</rt></ruby>，<ruby>我<rt>wǒ</rt></ruby><ruby>的<rt>de</rt></ruby><ruby>笑<rt>xiào</rt></ruby><ruby>声<rt>shēng</rt></ruby><ruby>也<rt>yě</rt></ruby><ruby>偕<rt>xié</rt></ruby><ruby>同<rt>tóng</rt></ruby><ruby>它<rt>tā</rt></ruby><ruby>闪<rt>shǎn</rt></ruby>

<ruby>进<rt>jìn</rt></ruby><ruby>了<rt>le</rt></ruby>。

<ruby>如<rt>rú</rt></ruby><ruby>果<rt>guǒ</rt></ruby><ruby>你<rt>nǐ</rt></ruby><ruby>醒<rt>xǐng</rt></ruby><ruby>着<rt>zhe</rt></ruby><ruby>躺<rt>tǎng</rt></ruby><ruby>在<rt>zài</rt></ruby><ruby>床<rt>chuáng</rt></ruby><ruby>上<rt>shàng</rt></ruby>，<ruby>想<rt>xiǎng</rt></ruby><ruby>你<rt>nǐ</rt></ruby><ruby>的<rt>de</rt></ruby><ruby>孩<rt>hái</rt></ruby><ruby>子<rt>zi</rt></ruby><ruby>到<rt>dào</rt></ruby><ruby>深<rt>shēn</rt></ruby>

夜，我便要从星空向你唱道："睡呀！妈妈，睡呀。"

我要坐在各处游荡的月光上，偷偷地来到你的床上，趁你睡着时，躺在你的胸上。

我要变成一个梦，从你眼皮的微缝中，钻到你的睡眠的深处，当你醒来吃惊地四望时，我便如闪耀的萤火似的熠熠地向暗中飞去了。

当普耶节日（印度每年十月的"难近母祭日"）邻舍家的孩子们来屋里玩耍时，我便要融化在笛声里，整日在你心头回响。

亲爱的阿姨带了普耶礼（亲友们在普耶节日相互馈赠的礼物）来，问道："我们的孩子在哪里，姊姊？"妈妈，你将要柔声地告诉她："他呀，他现在是在我的瞳仁里，在我的身体里，在我的灵魂里。"

召唤

她走的时候，夜间黑漆漆的，他们都睡了。

现在，夜间也是黑漆漆的，我唤她道："回来，我的宝贝；世界都在沉睡；当星星互相凝视的时候，你来一会儿是没有人会知道的。"

她走的时候，树木正在萌芽，春光刚刚来到。

现在花已盛开，我唤道："回来，我的宝贝。孩子们漫不经心地在游戏，把花聚在一块，又把它们撒开。你若走来，拿一朵小花去，没有人会发觉的。"

常常在游戏的那些人，仍然还在那里游戏，生命总是如此地浪费。

我静听他们的空谈，便唤道："回来，我的宝贝，妈妈的心里充满着爱，你若走来，仅仅从她那里接一个小小的吻，没有人会妒忌的。"

第一次的茉莉

呵，这些茉莉花，这些白色的茉莉花！

我仿佛记得我第一次双手满捧着这些茉莉花——这些白色的茉莉花的时候。

我喜爱那日光、那天空、那绿色的大地。

我听见那河水淙淙的流声，在黑漆的午夜里传过来。

秋天的夕阳，在荒原上的大路转角处迎我，如新妇揭起她的面纱迎接她的爱人。

当我想起孩提时第一次捧在手里的白茉莉，心里充满着甜蜜的回忆。

我生平有过许多快活的日子，在节日宴会

的晚上，我曾跟着说笑话的人大笑。

在灰暗的雨天的早晨，我吟哦过许多飘逸的诗篇。

我颈上戴过爱人手织的醉花的花环，作为晚装。

当我想起孩提时第一次捧在手里的白茉莉，心里充满着甜蜜的回忆。

榕 树

喂，站在池边的蓬头的榕树，你可曾忘记了那小小的孩子，就像那在你的枝上筑巢又离开了你的鸟儿似的孩子？

你不记得他怎样坐在窗内，诧异地望着你深入地下的纠缠的树根吗？

妇人们常到池边，汲了满罐的水去，你的大黑影便在水面上摇动，好像睡着的人挣扎着要醒来似的。

日光在微波上跳舞，好像不停不息的小梭在织着金色的花毡。

两只鸭子挨着芦苇，在芦苇影子上游来游

去，孩子静静地坐在那里想着。

他想做风，吹过你萧萧的枝杈；想做你的影子，在水面上，随了日光而俱长；想做一只鸟儿，栖息在你的最高枝上；还想做那两只鸭，在芦苇与阴影中游来游去。

祝　福

祝福这个小心灵，这个洁白的灵魂，他为我们的大地，赢得了天的吻。

他爱日光，他爱看他妈妈的脸。

他没有学会厌恶尘土而渴求黄金。

紧抱他在你怀里，并且祝福他。

他已来到这个歧路百出的大地上了。

我不知道他怎么从群众中选出你来，来到你的门前抓住你的手问路。

他笑着、谈着，跟着你走，心里没有一点儿疑惑。

不要辜负他的信任，引导他到正路，并且

祝福他。

把你的手按在他的头上，祈求着：底下的波涛虽然险恶，然而从上面来的风，会鼓起他的船帆，送他到和平的港口的。

不要在忙碌中把他忘了，让他来到你的心里，并且祝福他。

103

赠品

我要送些东西给你，我的孩子，因为我们同是漂泊在世界的溪流中的。

我们的生命将被分开，我们的爱也将被忘记。

但我却没有那样傻，希望能用我的赠品来买你的心。

你的生命正是青青，你的道路也长着呢，你一口气饮尽了我们带给你的爱，便回身离开我们跑了。

你有你的游戏，有你的游伴。如果你没有时间同我们在一起，如果你想不到我们，那有什么害处呢？

我们呢，自然的，在老年时，会有许多

闲暇的时间，去计算那过去的日子，把我们

手里永久失去了的东西，在心里爱抚着。

河流唱着歌很快地流去，冲破所有的

堤防。但是山峰却留在那里，忆念着，满

怀依依之情。

105

我的歌

我的孩子，我这一支歌将扬起它的乐声围绕你的身旁，好像那爱情中热恋的手臂一样。

我这一支歌将触着你的前额，好像那祝福的接吻一样。

当你只是一个人的时候，它将坐在你的身旁，在你耳边微语着；当你在人群中的时候，它将围住你，使你超然物外。

我的歌将成为你的梦的翼翅，它将把你的心移送到不可知的岸边。

当黑夜覆盖在你的路上的时候，它又将成为那照射在你头上的忠实的星光。

我的歌又将坐在你眼睛的瞳仁里，将你的
视线带入万物的心里。

当我的声音因死亡而沉寂时，我的歌仍将
在你活泼的心中唱着。

107

孩子的天使

他们喧哗争斗，他们怀疑失望，他们辩论而没有结果。

我的孩子，让你的生命到他们当中去，如一线镇定而纯洁的光，使他们愉悦而沉默。

他们的贪心和妒忌是残忍的；他们的话，好像暗藏的刀，渴欲饮血。

我的孩子，去，去站在他们愤懑的心中，把你和善的眼光落在它们上面，好像那傍晚的宽宏大量的和平，覆盖着日间的骚扰一样。

我的孩子，让他们望着你的脸，因此能够知道一切事物的意义；让他们爱你，因此他们

néng gòu xiāng ài
能够相爱。

　　lái　　　zuò zài wú yín de xiōng táng shàng　　wǒ de hái zi　zhāo yáng
　　来，坐在无垠的胸膛上，我的孩子。朝阳
chū lái shí　　kāi fàng bìng qiě áng qǐ nǐ de xīn　xiàng yì duǒ shèng kāi de
出来时，开放并且昂起你的心，像一朵盛开的
huā　xī yáng luò xià shí　　dī xià nǐ de tóu　　mò mò de zuò wán zhè
花；夕阳落下时，低下你的头，默默地做完这
yì tiān de lǐ bài
一天的礼拜。

109

zuì hòu de mǎi mai
最后的买卖

zǎo chen　　wǒ zài shí pū de lù shàng zǒu shí　　wǒ jiào dào
早晨，我在石铺的路上走时，我叫道：

shuí lái gù yòng wǒ ya
"谁来雇用我呀？"

huáng dì zuò zhe mǎ chē　　shǒu lǐ ná zhe jiàn zǒu lái
皇帝坐着马车，手里拿着剑走来。

tā lā zhe wǒ de shǒu　　shuō dào　　wǒ yào yòng quán lì lái gù
他拉着我的手，说道："我要用权力来雇

yòng nǐ
用你。"

dàn shì tā de quán lì suàn bù liǎo shén me　　tā zuò zhe mǎ chē zǒu le
但是他的权力算不了什么，他坐着马车走了。

zhèng wǔ yán rè de shí hou　　jiā jiā hù hù de mén dōu bì zhe
正午炎热的时候，家家户户的门都闭着。

wǒ yán zhe wān qū de xiǎo xiàng zǒu qù
我沿着弯曲的小巷走去。

yí gè lǎo rén dài zhe yí dài jīn bì zǒu chū lái
一个老人带着一袋金币走出来。

tā zhēn zhuó le yí xià　　shuō dào　　wǒ yào yòng jīn qián lái gù
他斟酌了一下，说道："我要用金钱来雇

yòng nǐ
用你。"

tā yí gè yí gè de shǔ zhe tā de qián，dàn wǒ què zhuǎn shēn lí
他一个一个地数着他的钱，但我却转身离
qù le
去了。

huáng hūn le　huā yuán de lí shàng kāi mǎn le huā
黄昏了。花园的篱上开满了花。

měi rén zǒu chū lái　shuō dào　wǒ yào yòng wēi xiào lái gù yòng nǐ
美人走出来，说道："我要用微笑来雇用你。"

tā de wēi xiào àn dàn le　huà chéng lèi róng le　tā gū jì de
她的微笑黯淡了，化成泪容了，她孤寂地
huí shēn zǒu jìn hēi àn lǐ qù
回身走进黑暗里去。

tài yáng zhào yào zài shā dì shàng　hǎi bō rèn xìng de làng huā sì jiàn
太阳照耀在沙地上，海波任性地浪花四溅。

yí gè xiǎo hái　zuò zài nà lǐ wán bèi ké
一个小孩儿坐在那里玩贝壳。

tā tái qǐ tóu lái　hǎo xiàng rèn shi wǒ shì de　shuō dào　wǒ
他抬起头来，好像认识我似的，说道："我
gù nǐ bú yòng shén me dōng xi
雇你不用什么东西。"

cóng cǐ yǐ hòu　zài zhè ge xiǎo háir de yóu xì zhōng zuò chéng de
从此以后，在这个小孩儿的游戏中做成的
mǎi mai　shǐ wǒ chéng le yí gè zì yóu de rén
买卖，使我成了一个自由的人。

图书在版编目（CIP）数据

愿望的实现 ：理想与童诗 ／（印）泰戈尔著 ；郑振铎
译 ；学而思教研中心编 . -- 济南 ：山东电子音像出
版社，2024. 10. -- ISBN 978-7-83012-547-9

Ⅰ . I351.88

中国国家版本馆 CIP 数据核字第 2024VB7338 号

出 版 人：刁 戈
责任编辑：蒋欢欢 和晨赟
装帧设计：学而思教研中心设计组

YUANWANG DE SHIXIAN LIXIANG YU TONGSHI
愿望的实现 理想与童诗

[印] 泰戈尔 著 郑振铎 译 学而思教研中心 编

主管单位：山东出版传媒股份有限公司
出版发行：山东电子音像出版社
地 址：济南市英雄山路 189 号
印 刷：湖南天闻新华印务有限公司
开 本：710mm×1000mm 1/16
印 张：7.5
字 数：96 千字
版 次：2024 年 10 月第 1 版
印 次：2024 年 10 月第 1 次印刷
书 号：ISBN 978-7-83012-547-9
定 价：22.80 元

专属 _____ 的

阅读成长记录册

阅读指导

　　充满趣味的阅读指引与内容导入，既有对配套书籍相关内容的介绍与分析，也有对阅读方法的细致指导与讲解，可辅助教师教学及家长辅导，亦可供孩子自主学习使用。

阅读测评

　　我们根据不同年龄段孩子的注意力集中情况、阅读速度、理解水平以及智力和心理发展特点，有针对性地对孩子进行阅读力的培养。孩子也可以根据自己的阅读水平，自主规划阅读时间。

年级	日均阅读量	重点阅读力培养
1—2	约1000字	认读感知能力，信息提取能力
3—4	约6000字	推理判断能力，分析归纳能力
5—6	约9000字	评价鉴赏能力，迁移运用能力

阅读活动

　　通过形式多样的阅读活动，调动孩子的阅读积极性，培养孩子听、说、读、写、思多方面的能力，让孩子能够综合应用文本，更有创造性地阅读。

六 大 阅 读 能 力

认读感知能力　认读全书文字
感知故事情节

信息提取能力　提取直接信息
提取隐含信息

推理判断能力　推理词句含义
作出预判推断

分析归纳能力　分析深层含义
归纳主要内容

评价鉴赏能力　评价人物形象
鉴赏词汇句子

迁移运用能力　内容联想延伸
知识迁移运用

阅读规划

小朋友，你心里有没有一个特别想实现的愿望？可是，你有没有想过，愿望实现了就一定是好事吗？如果你问问这本书中的主人公小苏希，他一定会使劲摇着头说："才不是呢。"小苏希为什么会这么说呢？让我们在《愿望的实现》中寻找原因吧！

睡眠被谁偷走了？仙人的世界在哪里？十二点钟有什么意义？我们一起去《新月集》中找找答案吧！

作者简介

姓名：泰戈尔（1861—1941年）

国籍：印度

代表作品：《新月集》《飞鸟集》《吉檀迦利》

作者荣誉：第一个获得诺贝尔文学奖的亚洲人，其作品被译为多国语言，备受追捧。

内 容 简 介

本书由泰戈尔的短篇童话《愿望的实现》和诗歌集《新月集》集结而成。

《愿望的实现》讲的是一对父子之间的故事，父亲老苏巴是一位非常严厉的父亲，而儿子小苏希是一个调皮贪玩的孩子。孩子一心想快快长到父亲那么大，就不用去上学了；父亲想回到自己的童年，不因为父母的溺爱而不好好读书。仙子实现了他们的愿望，但他们并不开心……

《新月集》中，孩子们喜欢玩简单的小游戏，"他们拿沙来建筑房屋，拿空贝壳来做游戏"，"一早晨坐在泥土里，耍着折下来的小树枝儿"；孩子们有丰富的想象力，幻想着变成金色花、带着妈妈去冒险……诗人时而化身天真可爱的孩子，时而变成温柔和善的妈妈，让我们感受到了浓浓的爱！

文学赏析

《愿望的实现》故事取材贴近孩子们的日常生活，语言活泼生动、通俗易懂，有深刻的教育意义，十分值得孩子阅读。故事采用了大量的对话，可以使孩子们更容易理解故事内容；帮父子实现愿望的仙子让故事更有吸引力，孩子们通过阅读能够体会换位思考。

《新月集》文字优美，意境丰富，节奏鲜明，能够让孩子有一种清新愉悦之感。诗集采用了三重叙述视角——孩子、母亲、诗人。例如《天文家》《十二点钟》是孩子的视角，《不被注意的花饰》《孩子的世界》是母亲的视角，而《来源》《孩童之道》是诗人的视角。每一首诗歌视角独特，构思精巧，蕴含哲理，通过孩子新奇活泼的想象和母亲纯真怜爱的话语，充分表现出童心、母爱及自然美，有利于孩子放飞想象力，并对母爱有更加深刻的理解。

1. 阅读《愿望的实现》，体会小苏希的心理变化。

小苏希一开始是一个调皮捣蛋、谎话连篇的淘气孩子，在经过一次神奇的变身之后，他的心理发生了哪些转变呢？仔细阅读故事，体会一下吧！

2. 尝试和小伙伴分角色扮演《愿望的实现》这个故事。

注意把握小苏希和老苏巴变身前后的形象特点和性格特点，尝试创作一个小剧本，和小伙伴分角色扮演这个故事。

3. 阅读《新月集》，体会诗歌表达的情感，有感情地朗诵诗歌。

《新月集》部分有大量的诗歌，先借助拼音读准诗文，理解诗句大意之后，尝试想象诗歌描绘的场景，体会诗歌表达的感情，选出自己喜欢的几首诗歌有感情地朗诵出来。

阅读测评

yuàn wàng de shí xiàn

愿 望 的 实 现

1.（单选）小苏希非常喜欢吃什么味道的棒棒糖呢?（　　）

（信息提取能力）

A.　　　　　　　B.　　　　　　　C.

2.（判断）判断下列说法的正误,正确的画"√",错误的画"×"。

（推理判断能力）

（1）小苏希变成大人之后还是很爱吃之前喜欢的棒棒糖。

（　　）

（2）小苏希和父亲最初的愿望都实现了,但是他们并没有想象中那么开心。

（　　）

扫码查看笔顺

jiā tíng lái yuán
家 庭 → 来 源

3.（选词填空）男孩子的乡村的家在（　）的后面，躲藏在香蕉树、（　）的槟榔树、（　）和（　）的贾克果树的阴影里。

（信息提取能力）

　　A. 椰子树　　　　　　B. 深绿色

　　C. 瘦长　　　　　　　D. 甘蔗田

4.（连线）以下事物分别从哪里来的呢？请将对应的两项用线连起来。

（信息提取能力）

| 流泛在孩子双眼中的睡眠 | 妈妈还是少女时，潜伏在她的心里 |

| 孩子睡着时，在他唇上浮动着的微笑 | 被萤火虫朦胧照耀着的林荫仙村里 |

| 孩子四肢上甜蜜、柔嫩的新鲜生气 | 一个浴在清露里的早晨的梦中 |

来 来 来　源 源 源

扫码查看笔顺

hái tóng zhī dào
孩 童 之 道 →

bú bèi zhù yì de huā shì
不 被 注 意 的 花 饰

5.（圈选）请将下列加点字的正确读音用自己喜欢的颜色圈出来。

（认读感知能力）

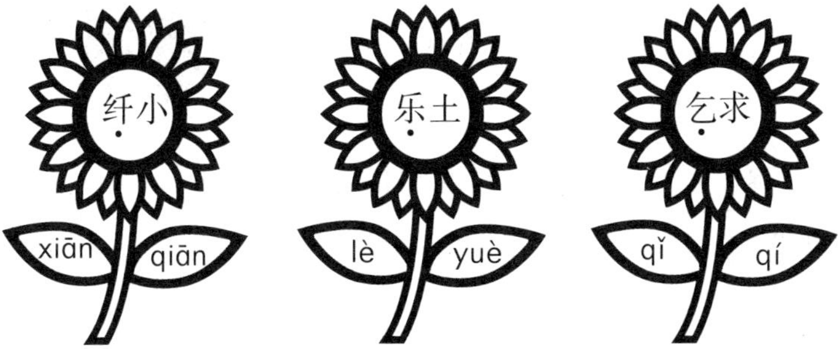
纤小
xiān
qiān
乐土
lè
yuè
乞求
qǐ
qí

6.（单选）妈妈对孩子有好多种称呼，比如小小牧童儿、小小的命芽儿、小乞丐，这些称呼表现出妈妈（　　）。

（分析归纳能力）

A. 很疼爱自己的孩子　　B. 喜欢给别人起名字

日积月累

花 花 花 饰 饰 饰

扫码查看笔顺

tōu shuì mián zhě　　hǎi biān
偷 睡 眠 者 → 海 边

7.（多选）在《偷睡眠者》中提到了哪几种小动物呢？请将它们的序号填到右侧的小篮子中。

（信息提取能力）

①萤火虫　②鸭子

③牧童　　④白鹤

⑤鸽子　　⑥醉花

8.（判断）判断下列说法的正误，正确的画"√"，错误的画"×"。

（分析归纳能力）

（1）孩子们拿沙来建筑房屋，拿落叶来做游戏，还拿空贝壳来做小船。　　　　　（　　）

（2）狂风暴雨来临时，船在大海上航行着，孩子们都很害怕。　　　　　　　　　（　　）

 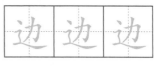

扫码查看笔顺

kāi shǐ → hái zi de shì jiè
开 始 → 孩 子 的 世 界

9.（圈选）请将下列加点字的正确读音用自己喜欢的颜色圈出来。

①塑造：sù suò ②祀奉：sī sì ③崇拜：chóng chǒng

10.（单选）孩子的世界里有许许多多新鲜的事物，但妈妈希望能在孩子世界的中心占一角清净地，这是为什么呢？你认为谁的观点正确呢？（ ）

A. 我认为是因为妈妈喜欢清静一些。

B. 我觉得是因为妈妈很爱、很在乎自己的孩子。

| 世 | 世 | 世 | 界 | 界 | 界 |

扫码查看笔顺

shí hou yǔ yuán yīn zé bèi
时 候 与 原 因 → 责 备

11.(连线)请用直线将对应的两项连在一起。

(信息提取能力)

当我吻着你的脸蛋儿叫你微笑的时候	我知道了波浪把它们的合唱的声音送进静听着的大地的心头的原因
当我唱着使你跳舞的歌的时候	我明白了花朵上染上绚烂的颜色的原因
当我给你五颜六色的玩具的时候	我明白了在晨光里从天上流下来的是什么样的快乐

12.(单选)"他们"常常无谓地责备孩子,妈妈知道后很
(　　)。

(分析归纳能力)

A.开心　　　　　　B.气愤　　　　　　C.平静

扫码查看笔顺

审 判 官 → 玩 具

shěn pàn guān　　wán jù

13.(单选)为什么妈妈说"只有我才有权去骂他,去责罚他"呢?请将正确的选项填在泡泡里。

(推理判断能力)

A.因为妈妈是真的爱着自己的孩子

B.因为其他人都不关心孩子

14.(选择填空)请把孩子的玩具放在绿盒子里,妈妈的玩具放在蓝盒子里。

(信息提取能力)

A.折下来的小树枝儿

B.小铲子

C.金块与银块

扫码查看笔顺

tiān wén jiā → yún yǔ bō
天 文 家 → 云 与 波

15.（单选）"我"和哥哥聊完天后,哥哥对"我"的看法有改变吗?（　　）

（分析归纳能力）

A.有,哥哥开始觉得"我"傻傻的,后来觉得"我"还是很聪明的。

B.没有,哥哥一直在说"我"是个傻孩子。

16.（涂色）"我"为什么没有去云端玩耍,也没有加入在波浪上的人们的队伍呢? 请把你认为正确的一项涂上自己喜欢的颜色。

（推理判断能力）

A. 因为"我"要和其他的小伙伴玩耍。

B. 因为"我"不能离开妈妈,要和妈妈在一起。

扫码查看笔顺

jīn sè huā → xiān rén shì jiè
金 色 花 → 仙 人 世 界

17.（单选）假如"我"变成了金色花，"我"会在什么时候又变回妈妈的孩子呢？（　　）

（信息提取能力）

A. 在妈妈做祷告的时候　　B. 妈妈沐浴之后　　C. 黄昏的时候

18.（单选）小鱼遇到了难题，快来帮帮它吧！

（信息提取能力）

国王的宫殿究竟在哪里呢？（　　）

A. 在窗台的水杯旁

B. 在阳台角上放着栽着杜尔茜花的花盆的地方

C. 在墙角边

日积月累

金 金 金　　色 色 色

扫码查看笔顺

<ruby>流<rt>liú</rt></ruby> <ruby>放<rt>fàng</rt></ruby> <ruby>的<rt>de</rt></ruby> <ruby>地<rt>dì</rt></ruby> <ruby>方<rt>fang</rt></ruby> → <ruby>雨<rt>yǔ</rt></ruby> <ruby>天<rt>tiān</rt></ruby>

19.（判断）判断下列说法的正误，正确的画"√"，错误的画"×"。

（分析归纳能力）

（1）"我"现在并不想看书、做功课，因为"我"想要妈妈告诉我童话里的特潘塔沙漠到底在什么地方。（　　）

（2）天空乌云密布、闪电打雷的时候，"我"总是很开心，一点儿都不害怕。（　　）

20.（单选）鱼儿们是怎么从水池逃到田间的呢？

（推理判断能力）

这个问题的答案我知道！是因为（　　）。

A.鱼儿可以跳得很高，它从水池里跳到了田间。

B.雨水使得水池的水溢出来了，鱼儿就随着水流一起逃出来了。

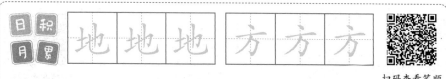

日积月累　地 地 地　方 方 方

扫码查看笔顺

14

zhǐ chuán   shuǐ shǒu
纸 船 → 水 手

21.(选择填空)请把带有拼音的小球放在正确的位置。

（认读感知能力）

载（　　）在我
的小船上

满载（　　）着
梦的篮子

A.zài   B.zǎi

22.(选择填空)只要曼特胡肯把他的船借给我，我就给它
安装（　　）百支桨，扬起（　　）个或六个或七个布帆来。我
将航行遍仙人世界里的（　　）个大海和（　　）条河道。

（信息提取能力）

A.一   B.七   C.十三   D.五

扫码查看笔顺

15

dui àn huā de xué xiào
对 岸 → 花 的 学 校

23.（连线）请将下列动物和它们对应的行为用直线连在一起。

（信息提取能力）

豺狼

野鹜

竹鸡

雨过去之后，一群群地飞到古怪的池塘那边去

带着跳舞的尾巴，将细小的足印印在洁净的软泥上

黄昏时在长满野草的岛上哀叫

24.（单选）雨一来，鲜花们都冲了出来，他们急匆匆的是要去哪儿呢？（　　　）

（分析归纳能力）

A. 他们急着去找妈妈

B. 他们急着去找小伙伴做游戏

扫码查看笔顺

shāng rén   tóng qíng
商 人 → 同 情

25.（连线）猜猜"我"到异邦旅行回来后会给家人们带什么礼物呢？请将对应的两项连在一起。

（信息提取能力）

妈妈   爸爸   哥哥

一对有翼的马   首饰箱和珠宝   一支有魔力的笔

26.（单选）如果你在生活中遇到一只小鸟，你应该怎样做呢？（   ）

（联系迁移能力）

A. 拿石子砸小鸟

B. 把小鸟用链子锁起来，随时都可以和它玩

C. 远远地观赏美丽的小鸟，不去抓它

扫码查看笔顺

zhí yè　　zhǎng zhě
职 业 → 长 者

27.（排序）请你根据原文，将下列情景排序。

（认读感知能力）

①小贩在街上叫道："镯子呀，亮晶晶的镯子！"

②更夫摇着他的提灯，整夜在街上走。

③园丁用他的锄子在花园里掘地。

④钟敲十下的时候，我沿着小巷去学校。

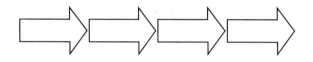

28.（多选）你对"妈妈的孩子"有什么评价呢？（　　　　）

（评价鉴赏能力）

A.傻傻的　　　　　B.很顽皮　　　　　C.非常懂事

扫码查看笔顺

xiǎo dà rén → shí èr diǎn zhōng

小 大 人 → 十 二 点 钟

29.（勾选）从小孩子变成大人之后，"我"应该怎么做呢？请在正确的卡片下方画一个大大的"√"。

（分析归纳能力）

我们还是要乖乖听从老师的话去读书。

A

有许多事情我们都可以自己做决定了。

B

我们必须紧跟在家人后面，不然自己会迷路。

C

30.（单选）为什么"我"希望妈妈把"不过是十二点钟"想象成是下午呢？（　　　）

（推理判断能力）

A. 因为我喜欢下午

B. 因为我想看太阳落山的样子

C. 因为我不想做功课了

市 市 市 场 场 场

扫码查看笔顺

zhù zuò jiā   è yóu chāi
著 作 家 → 恶 邮 差

31.（判断）请你根据原文，判断下列说法的正误，正确的画"√"，错误的画"×"。

（分析归纳能力）

（1）妈妈不让我去爸爸的房间游戏，是担心我会打扰爸爸写作。 （   ）

（2）我用纸张叠了只小船，妈妈夸我叠得好看。 （   ）

32.（涂色）下列信件中,哪一封对妈妈来说是"真正的好信"呢? 请把这封信涂上你喜欢的颜色。

（推理判断能力）

A. 来自朋友的信   B. 来自孩子的信   C. 来自爸爸的信

日积月累   作 作 作   家 家 家

扫码查看笔顺

yīng xióng　　gào bié
英　雄　→　告　别

33.(单选)"我"想象着和妈妈一起旅行,妈妈坐在轿子里,"我"骑着红马。然而"我们"却遇到了一群坏人,这时(　　　)。

（认读感知能力）

A."我"和妈妈躲开了他们

B.有人出现救了"我们"

C."我"骑着"我"的马去跟他们作战,救了妈妈

34.(选择填空)请把下面的小方块放到相对应的格子中。

（信息提取能力）

我要变成一股　　抚摩着你。当　　从开着的窗口闪进你的屋里时,我的笑声也偕同它闪进了。我还想要坐在各处游荡的　　上。

A.月光　　　　B.清风　　　　C.电光

告 告 告　别 别 别

扫码查看笔顺

zhào huàn　　　　dì yī cì de mò lì
召 唤 → 第 一 次 的 茉 莉

35.(单选)黑漆漆的夜间，"我"为什么要唤"她"回来？
(　　　)

（推理判断能力）

A.因为夜间大家都睡了,不会被人们发现

B.因为她喜欢黑夜

C.因为她还不想睡觉

36.(单选)每当"我"想起孩提时第一次双手满捧着(　　　)时,心里就充满了甜蜜。

（认读感知能力）

A.红玫瑰　　　　B.白茉莉　　　　C.康乃馨

 召 召 召　唤 唤 唤

扫码查看笔顺

róng shù   zhù fú
榕 树 → 祝 福

37.（圈画）请将下列加点字的正确读音用自己喜欢的颜色圈出来。

（认读感知能力）

38.（单选）假如你有一个无条件相信你的朋友，你会（　　）。

（联系迁移能力）

A. 对他跟对待其他人一样

B. 把他记在心里，不辜负他的信任

C. 经常捉弄他

扫码查看笔顺

zèng pǐn   wǒ de gē
赠 品 → 我 的 歌

39.（单选）爸爸妈妈陪伴我们长大，当他们年老的时候，我们（　　）。

（联系迁移能力）

    A. 要在他们身边多陪陪他们

    B. 有自己的朋友了，要和朋友去玩

    C. 就不记得小时候的事情了

40.（多选）请帮下面这位唱歌的小女孩解答疑问。

（信息提取能力）

我的歌将成为你的（　　）。

    A. 头上忠实的星光

    B. 梦的翼翅

    C. 脚下宽阔的大地

扫码查看笔顺

hái zi de tiān shǐ　　　zuì hòu de mǎi mai
孩 子 的 天 使 → 最 后 的 买 卖

41.（多选）《孩子的天使》中的"我的孩子"是个怎样的人呢？

他是个（　　　）的孩子！

（分析归纳能力）

A.纯洁　　　B.贪心　　　C.善良　　　D.爱妒忌

42.（单选）假如你很喜欢和一个小伙伴做游戏，你会怎么做呢？（　　　）

（联系迁移能力）

A.让他一直陪自己玩

B.用金钱或者好吃的来换取他陪自己做游戏

C.和他玩耍的同时也让他感觉到自由

扫码查看笔顺

阅读活动

1 小小演说家

　　《愿望的实现》中小苏希实现了自己的心愿，一下子变成了大人。你能将这个故事讲给爸爸妈妈或者小伙伴们听吗？

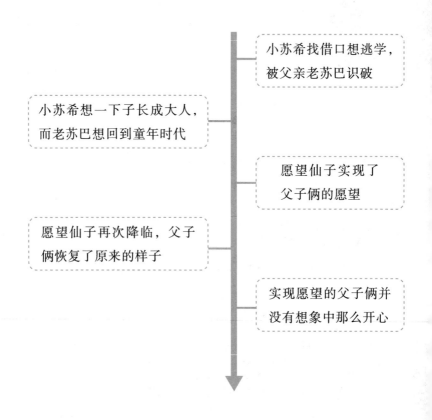

2 我是小演员

《愿望的实现》中有很多有趣的情节。你可以选择一段自己喜欢的情节，和同学或者父母一起演一演，如果能录成一个小电影就更好了！可以参考下面的情景来表演。

情景：热闹的清晨

小苏希（双手捂着肚子委屈地说）：爸爸，我的肚子很痛，今天可以不去上学吗？

老苏巴（沉默了一会儿说道）：既然这样，那你哪儿也别去了，就躺在床上老实待着吧。本来还给你买了你最爱吃的柠檬味棒棒糖呢，看来你也吃不了了，我去给你调制点助消化的苦药吧！

小苏希（神色紧张地大声说道）：哎呀！我的肚子又不疼了，我还是去上学吧！

老苏巴：不行，你还是吃完药好好躺着吧。

小苏希（伤心地小声说道）：我要是能一下子变成大人就好了！

3 我是制卡小能手

书中提到了许多人物，有现实的，也有虚拟的，哪个人物形象最让你印象深刻呢？他有哪些特点？请你为他制作一个专属名片，将它展示给同学们吧！

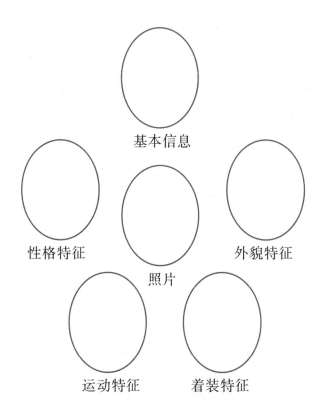

基本信息

性格特征

照片

外貌特征

运动特征

着装特征

4 我是小作家

读完了《新月集》，你都有什么收获呢？请你将对整本书或者某一篇的感想写下来，然后和父母或者同学分享一下吧！

阅读完《＿＿＿＿＿＿》之后

我的感受一

＿＿＿＿＿＿＿＿
＿＿＿＿＿＿＿＿
＿＿＿＿＿＿＿＿
＿＿＿＿＿＿＿＿
＿＿＿＿＿＿＿＿

我的感受二

＿＿＿＿＿＿＿＿
＿＿＿＿＿＿＿＿
＿＿＿＿＿＿＿＿
＿＿＿＿＿＿＿＿
＿＿＿＿＿＿＿＿

所以我想＿＿＿＿＿＿＿＿＿＿＿＿＿＿＿＿＿＿
＿＿＿＿＿＿＿＿＿＿＿＿＿＿＿＿＿＿＿＿＿

5 小小绘画师

书中有很多场景描述都非常精彩，比如自然风光、美丽的宫殿等。请你选择下面的一个或者其他自己喜欢的场景，根据文字描述发挥自己的想象力，也可以查一查相关的资料，进行绘画创作，完成画作后与同学们互相交流。

绘画情景一：《家庭》中男孩子的家

坐落在荒凉的土地上，在甘蔗田的后面，躲藏在香蕉树、瘦长的槟榔树、椰子树和深绿色的贾克果树的阴影里。

绘画场景二：《花的学校》

下雨了，树枝在林中互相触碰着，绿叶在狂风里萧萧地响着，雷云拍着大手，花孩子们便在那时候穿了紫的、黄的、白的衣裳，冲了出来。

绘画场景＿＿＿＿＿＿

6 故事会

读书可以让我们认识更多的"好朋友"，使我们学到更多的知识。拿一本你最近在读的书，然后跟大家分享一下书中的故事和你从书中学到了什么吧。

我最近在读《＿＿＿＿＿＿》

这本书的特点 1	

这本书的特点 2	

这本书的特点 3	

总之，＿＿＿＿＿＿＿＿＿＿＿＿

参考答案

阅读测评

1. C

2. (1) ×　(2) √

3. D C A B

4.

流泛在孩子双眼中的睡眠	妈妈还是少女时，潜伏在她的心里
孩子睡着时，在他唇上浮动着的微笑	被萤火虫朦胧照耀着的林荫仙村里
孩子四肢上甜蜜、柔嫩的新鲜生气	一个浴在清露里的早晨的梦中

5. ① xiān　② lè　③ qǐ

6. A

7. ①②④⑤

8. (1) ×　(2) ×

9. ① sù　② sì　③ chóng

10. B

11.

当我吻着你的脸蛋儿叫你微笑的时候	我知道了波浪把它们的合唱的声音送进静听着的大地的心头的原因
当我唱着使你跳舞的歌的时候	我明白了花朵上染上绚烂的颜色的原因
当我给你五颜六色的玩具的时候	我明白了在晨光里从天上流下来的是什么样的快乐

12. B

13. A

14. 绿盒子：A　蓝盒子：C

15. B

16. B

17. C

18. B

19. (1) √　(2) ×

20. B

21. A　A

22. A D B C

23.

豺狼	雨过去之后，一群群的飞到古怪的池塘那边去
野鹜	带着跳舞的尾巴，将细小的足印印在洁净的软泥上
竹鸡	黄昏时在长满野草的岛上哀叫

24. A

25.

妈妈	爸爸	哥哥
一对有翼的马	首饰箱和珠宝	一支有魔力的笔

33

26. C

27. ④①③②

28. AB

29. B

30. C

31. (1)√　（2）×

32. C

33. C

34. B　C　A

35. A

36. B

37. chà　zhān

38. B

39. A

40. AB

41. AC

42. C

阅读活动

1. 略

2. 略

3.

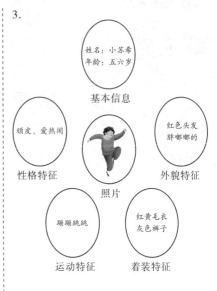

4. 示例：读完《赠品》之后，我感受到了爸爸妈妈非常地爱我们，一直陪伴着我们成长；我还感受到了他们的爱是那么深沉。所以我想，等他们变老了，我也要经常陪着他们，不会因为游戏或者小伙伴而不理他们的。

5. 略

6. 示例：我最近在读《十万个为什么》，这本书的内容非常丰富，包括好多方面的知识，我在生活中遇到的许多问题都能在书中找到答案；另外这本书非常有趣，我一口气就读了半本。总之，这本书使我增长了很多知识。